Commonwealth Publishing

天下文化
Commonwealth Publishing Co., Ltd. 出版公司

人生的轉捩點，有時是這麼的不可預期，
機械科系畢業的我，
因爲和福特汽車公司講薪水不成，弄巧成拙，
自己有點惱羞成怒，選擇了另外一門行業，
竟爲我和半導體結下一生的緣。
（圖片背景爲台積電所製造的積體電路晶圓產品）

此張照片是祖父母的合家歡。
坐者為祖父母，後排右三為父親，
右五為母親，那時我尚未出生。

「我祖父的一代代表中國人受列強欺侮下，努力想革新進步的一代；
父親則是族內受西洋式大學教育的第一代；
我在大時代中出生。」

五十歲左右的祖父母。

祖母和我。
祖母腳邊溼了一片，
說明了我正在做什麼。

祖母抱著不滿一歲的我。後排站立最高者爲父親，他的右手邊第二人爲母親。

大約兩、三歲時我與奶媽在南京。

「我們小家庭只有三個人：父親、母親和我。
母親是這個家庭的調和劑。」

父母、奶媽（左一）和我。

當國內戰火蔓延，大幅國土成爲淪陷區時，
香港眞是世外桃源，我在那裡有一段美好的童年回憶。
圖爲八歲時與父母及一位小朋友到香港淺水灣遊玩，
淺水灣是我最喜歡去的地方。

重慶全家歡。
後排右四爲父親、右五是我，母親坐在前排中間。
我時年十三歲，就讀南開中學，剃光頭。

「過去逃日本人的難，心中抱著最後勝利的希望和信心，
這次國共內戰，我們再度從上海逃到香港，
真不知何時才能再回國。」

三十歲左右的父親，正是最敢冒險的年齡，他帶著我們一家越過戰爭前線到重慶。

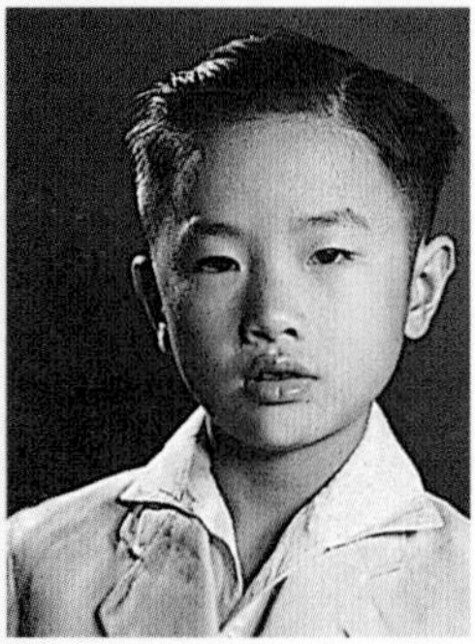

十歲在香港。

上海餘慶路的家。從重慶回到上海，父親花了他平生大部份的積蓄買了一幢房子，正預備從此安居樂業，可惜事與願違，我們在這幢房子只住了兩年半。

十八歲去美國前，
父母是我的天地，
之後我凡事只能倚賴自己。

十七歲時我曾經想當作家，
父親很有技巧地把我從夢中喚醒。
圖爲我坐在上海家中父親的書桌前。

哈佛的同學個個才華洋溢，
我過了興奮、刺激但有紀律的一年。
圖爲我在哈佛大學附近橋上，
看起來意氣風發。

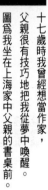

「因大時代的變化，
父親『學工程才有前途』的讖語也愈來愈有力。
三叔知道我興趣廣泛，以哈佛作爲我摸索的緩衝期。」

博士落榜後，
我意外地進入半導體業，
往後將近有二十五年的時間我服務於德州儀器公司。

擔任德儀鍺電晶體部門總經理時，
獲頒一個客戶的獎狀，與客戶及行銷人員合影。

三十七歲時
我已任德州儀器公司副總裁。

「五〇年代的德州儀器公司，
是一個年輕、有活力、員工上下都精通半導體技術的公司。」

「父親到美國時才四十四歲，
他隨後進入哥倫比亞大學企管所就讀，
四十七歲獲得哥大企管碩士。」

六十歲左右的父母親。
他們在美國的老年生活是安定的，
但父親一直不能擺脫流亡異國、壯志未酬的憂鬱。
雙親將所有的希望寄託在我這個獨子身上。

一九七二年，四十一歲，
擔任德儀集團副總裁，
正在生產線問領班爲什麼良率沒有上升。

「德儀公司不僅圓了我的博士夢，
公司主管的信任與賞識也讓我有了廣闊的天地發揮所能。」

當我拿到史丹福大學博士學位後，許多同時進入德儀的同事都已升職，但我認爲能再讀書的機會難得，我的損失並不大。

當我辦一個半導體公司，當然要它長期繁榮，
那只有一條路——世界級。

The Autobiography of Morris C. M. Chang

Volume I 1931-1964

by Morris C. M. Chang

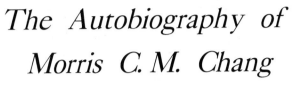

財經企管 ⑰②

封面設計／李錦鳳
封面攝影／黃明偉

張忠謀自傳（上冊）

一九三一－一九六四

張忠謀 著

張忠謀自傳

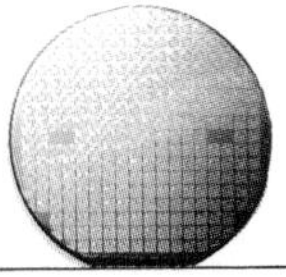

（上冊）一九三一—一九六四 目錄

出版者的話

爲歷史留下紀錄

——出版企業家傳記與回憶錄的用心

高希均

在二十世紀的戰亂中，國家的命運，常由英雄主導；在今後和平的時代，經濟的起伏，將會由企業家主導。

在可預見的將來，世界的大趨勢是走向和平。國與國的競賽不再是核彈數量，而是經濟實力。在二十一世紀的經濟競賽中，我們會看到三個特徵：以科技研發爲國力的主軸，以競爭力來反映國力的消長，以企業家爲全球競爭舞台的主角。

從經濟史上觀察，熊彼德（Joseph Schumpeter, 1883–1950）是遠在二十世

紀上半葉就最重視「創新」及「企業家」的一位大經濟學家。他認爲「創新的叢生」（如汽車）會帶來生活方式巨大的改變；發現投資機會以及承擔風險的企業家，就是帶動經濟成長的推手。

熊彼德的話正可印證於台灣經濟半世紀以來的發展。台塑企業的王永慶先生，代表著經濟起飛時代要注重點點滴滴的管理；台積電的張忠謀先生，代表著高科技時代所展現的雄才大略。

以傳播進步觀念爲己任的「天下文化」，先後出版了實際參與台灣發展重要人士的相關著作。這些人士都是廣義的英雄與功臣。他們或有英雄的抱負，或有功臣的志業。在發表的文集、傳記、回憶錄中，這些政府首長、企業家、專家學者，都坦率而又系統地，以歷史見證人的視野，細述他們的經歷軌跡與成敗得失。

這本《張忠謀自傳》的出版，尤其難得。張先生十八歲時，就從戰亂中的中國到達了劍橋的哈佛大學。在以後漫長的歲月中，他一直在英語世界中專心地讀書與工作。現在他自己居然以中文一頁一頁地寫出他的歷練，這正是他科技世界以

外的另一項人文成就。

在讀到各種對張忠謀先生的評論時，令我印象最深刻的是下面兩句話：

當眾人稱讚他的科技成就，張忠謀只看到責任；

當世人羨慕他的世紀榮耀，張忠謀只想到奉獻。

是西方科技的日新月異使他只看到責任？是東方文化的潛移默化使他只想到奉獻？讀者也許要從自傳中尋找答案。

這本自傳剛剛寫到他一半的人生。我們熱切期待他另一半的自傳早日問世。

一九九八年二月　台北

自序
那是一個多麼不同的時代！

張忠謀

這本自傳涵蓋的時期是自我出生至三十三歲，恰是我現在年齡的一半。忙著做事的人很少有時間想過去，但在夜闌人靜，偶爾回想過去時，我最懷念的倒不是三十三歲以後事業稍有成就的時期，而是我的前半生。

那是一個多麼不同的時代！

十八歲以前，我已逃了三次難，住過六個城市（寧波、南京、廣州、香港、重慶、上海），換了十個學校。我已經歷過槍砲（香港）和轟炸（廣州、重慶），穿越過戰線（自上海至重慶）；我曾有無憂無慮的童年（香港），也嘗到

了慷慨激昂、抗戰時期的中學生生活（重慶）；更嘗到了離家去國，不知歸期的悲哀（自香港去美國）。

十八歲進美國哈佛大學。在一千多個碧眼兒同學裡，我是唯一的中國人。一年中只有美國朋友，只用英文，也如海綿地吸收西洋文化。即使在幾十年後的現在看來，這哈佛的一年仍是我一生最難忘、最興奮的一年。

十九歲入麻省理工學院，在這最高理工學府裡學我的謀生本領。

二十四歲進入半導體業，那時半導體業本身才只有三歲。

二十七歲進入一家正值黃金時代的世界級公司——德州儀器公司，與積體電路發明人基比喝咖啡、談研究，眼見他發明積體電路。

三十歲重拎書包，到史丹福讀博士，在大師前充實自己的半導體學術基礎。

三十三歲博士學成，抱著滿懷希望和期待，回到德儀。

那幾十年是一個多麼不同的時代！在中國，在美國，在半導體業，都是「大時代」。

是我的青春。

是半導體業的青春。

也是美國成爲超級強國後的青春。

即使在古老的中國，在抗戰幾年中，也嗅到了強烈的青春氣息。

寫傳的遠因與近因

美麗的懷念，並不足以使我提筆寫自傳。提筆的決定仍有它的遠因和近因。

遠因是少年時代的作家夢。在香港的小學、重慶和上海的中學裡，總有六、七年的幼少年光陰，痴心想以寫作爲終身工作。作家夢在高中畢業前就被父親淡淡的一句：「會餓肚子的」，而打消。高中畢業後到美國求學，以後在美國三十幾年，非但極少寫中文，甚至連讀中文書報的機會都很少。十幾年前到台灣，又開始以中文爲主語，少年的作家夢只成回憶。有時自己問自己：「我還能寫長篇中文嗎？」

直到二年多以前。

那時，友人虞有澄兄邀我替他的新書《我看英代爾》（由天下文化出版）爲

序。他說：「兩千字左右就夠了。」但我讀了他的原稿後，對他寫的那一段英代爾歷史頗有所感，便盡一個星期日的時間，信手寫了四、五千字。這是我幾十年來少有的中文「長篇」，寫起來似乎還算順手。

幾個月後，虞書出版人高希均教授來找我。高教授認爲在我平生經歷中，一定有不少有趣的故事，可以用「自傳」的方式與讀者同享。高教授還說，如果我不願自己動筆，可以用口述方式，讓專業記者代筆。我不大喜歡口述方式，因爲我過去看到這類傳記，總覺得它們欠缺了一分傳主的感情。但如果要我自寫，這又是多麼大膽而費時的嘗試！我有沒有這個能力和時間呢？所以我好幾個星期沒有給高教授答覆。

追憶是享受，動筆是煎熬

就在這時候，有一天晚上重翻喜愛的海明威文集（注一），翻到他的短篇小說〈基里孟加羅山之雪峯〉。小說主人翁是一個作家，在非洲基里孟加羅山腳下得了壞疽，不能行動，望著蓋滿白雪的山峯等死，以下是他垂死前的縹緲之思：

現在，他再也不能寫那些故事，那些他儲存起來，預備在他能寫得更好時要寫的故事。也許，至少他沒把它們寫壞。也許，他永遠不能寫得更好，這才是一直拖延不寫的原因。總之，一切都不知道了。

拖延的結果，原來竟是生命末頁的無奈和不確定感！讀了這段故事後幾天，我就接受高教授的邀請，預備自己動手寫自傳。

答應是答應了，但每提筆就後悔：答應得太貿然了！對我來說，追憶是一種享受；動筆卻是煎熬。許多夜晚和週末，我坐在書桌前，拿著筆，對著一張白紙發呆。多少感情洶湧滂湃，但被阻塞在這支短短狹狹的鋼筆裡，不能盡情揮灑在白紙上。包括找資料的時間在內，這本自傳大約花了幾百小時。

經過五、六十年的時光，那麼多次逃難，那麼多次搬家，十八歲以前的資料非常少了。這是很可惜的事，因爲那時期正是我想做作家之時，日記和寫作不少。但十六歲前的日記已蕩然無存，作文只剩下幾篇，還虧重慶南開中學居然保留了幾十年，在幾年前登載在校友回憶錄裡。現在讀起來，那些文字雖然稚氣，

卻喚回了不少回憶。失去的作文中尤其可惜的，是我自上海跋涉五十幾天到重慶後寫的一篇旅記，記得當時父母親還驕傲地傳給他們的朋友看。

十六、七歲在上海時的日記，奇蹟地在二十幾年前出現在父母親紐約的家。那一段高中畢業前後，共軍已節節逼近上海的往事，現在讀起來，猶如隔世。十八歲後的資料較多，但也不很豐富。最有用的資料還是常斷偶續的日記。

下冊幾年後再說

自傳上冊還未出版，就有人問下冊。說老實話，上冊花了我這麼多精力時間，現在又正忙著替台積電和世界先進這兩家公司打基礎，短期內實在沒有勇氣開始寫下冊。也許幾年以後罷。

上冊總算寫成了。這是一趟情感之旅，前後兩年，數百小時的密集工作，多少溫馨，多少煎熬，現在總算鬆一口氣。今日的心情，與三十幾年前的一天相彷彿。那天我通過了史丹福大學博士考試，鬆了一大口氣，晚上開車三十英里到舊金山中國城大吃，吃完後到橋藝社，玩半年以來的第一次橋牌（見第五章）。

今天或亦如此？三十多年的時光已掠我而過，今天雖有當年的心情，卻已無當年的興致了。

注一：海明威（Ernest Hemingway 1898–1961），美國名作家。此處所引一段出自其短篇小說〈The Snows of Kilimanjaro〉。原文為："Now he would never write the things that he had saved to write until he knew enough to write them well. Well, he would not have to fail at trying to write them either. Maybe you could never write them, and that was why you put them off and delayed the starting. Well, he would never know, now."。中文為作者所譯。

第一章

「大時代」中的幼少年

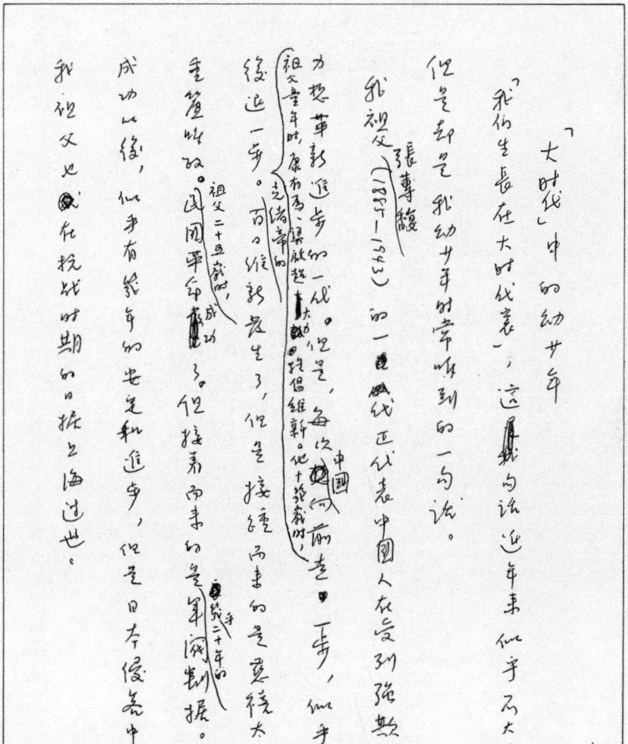
「大时代」中的幼少年

「我们生長在大时代裏」，這句话近年来似乎不大听見了

但是却是我幼少年时常听到的一句话。

我祖父張壽鏞（1875－1945）的一代正代表中国人在受到強敵侮下努力想革新進步的一代。但是，每次中国向前走一步，似乎總要後退一步。祖父童年时，康有為、梁啟超大力倡維新。他十幾歲时，光緒帝的百日維新發生了，但是接踵而来的是慈禧太后的垂簾听政。祖父二十五歲时，國民革命成功了。但接著而来的是幾乎二十年的軍閥割據。北伐成功以後，似乎有幾年的安定和進步，但是日本侵略中國了，我祖父也在抗战时期的日據上海逝世。

1

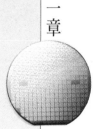

在國共內戰的亂世中，我從中學畢業了。
畢業那晚，我和幾個相熟同學慶祝，
大家喝了不少酒，盡情地歡樂……
我們租了一條船遊黃埔江，滿天繁星下，
遠遠的上海如醉如夢，同遊中的一人大喊：
「黃埔江，我們還能在這裡住多久？」

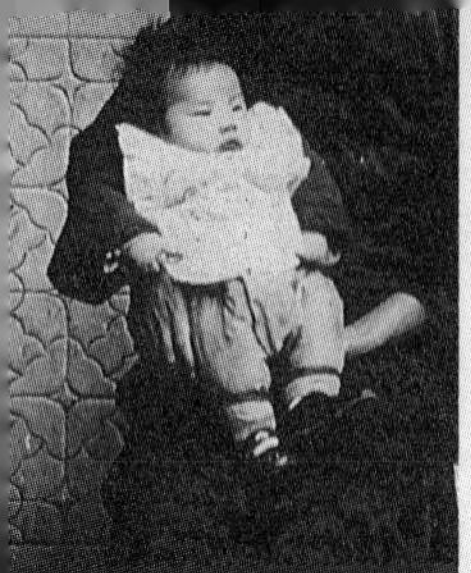

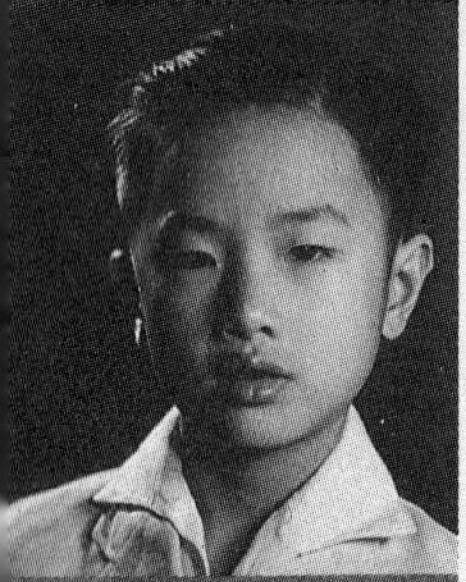

「我們生長在大時代裡」，這句話在近年似乎不大聽見，卻是我幼少年時常聽到的一句話。

我祖父張蕁馥（1885–1943）的一代，代表中國人在受列強欺侮下，努力想革新進步的一代。但是，每次中國向前走一步，似乎總要後退一步。祖父童年時，康有爲、梁啓超大力提倡維新，他十幾歲時，光緒帝的「百日維新」發生了；但接踵而來的是慈禧太后的垂簾聽政。祖父二十五歲時，民國革命成功了；但接著而來的是幾乎二十年的軍閥割據。北伐成功以後，似乎有幾年的安定進步；但日本侵略中國了。我祖父也在抗戰時期的日據上海過世。

我父親張蔚觀（1906–1992）的一代是我祖父族內受西洋式大學教育的第一代。他讀大學時，「民主」和「科學」是青年人高唱入雲的口號，胡適是當時青年人的偶像。我父親老年時，還常津津樂道當時他在上海光華大學做學生時，聆聽胡大師講演的盛況。他年輕時抱滿了中國民主、進步、現代化的希望，但他這一代是坎坷多難的。他三十一歲時，中日戰爭爆發，接著八年，飽受抗戰時期顛沛流離之苦。抗戰勝利時，他還不到四十歲，正預備從此安居樂業，但內戰爆

發。幾年後，大陸易色，他只能攜了母親和我到香港。從香港把我送到美國上大學後，他和母親也於一年後遷到美國。

到美國時，父親才四十四歲，正是盛年，當時仍有一股發奮在新大陸展開新生活的雄心。爲了要徹底了解美國的商業，他在四十五歲時入哥倫比亞大學企管所就讀，是班上最年長的學生。但是現實是殘酷的，他在四十七歲獲得哥大企管碩士後，一直沒有找到合適的工作。最後只好和母親開一個小店以維持生活，而把所有的希望，都寄託在我這一個獨子身上。他老年的生活是安定的，但一直不能擺脫那股流亡異國、壯志未酬的憂鬱感。

我母親徐君偉（1910－）是一個典型的新、舊時代交替中的賢妻良母。舊時代的她把一生都奉獻給父親和我；新時代的她又充份地參與了父親的事業，隨著父親在外交際應酬。對我的愛護、教育，她可以說是無微不至。我們小家庭只有三個人：父親、母親和我，是一個非常親密溫馨的小家庭，母親則是這個家庭的調和劑。當父親有苦悶或者挫折了，她會以一個溫暖的家安慰他；當我做錯事了，她會溫和地勸導我；當父親責備我，而我少不更事不服氣時，她就是和事

佬。

六歲過海到香港

我在西元一九三一年出生在故鄉浙江寧波，出生時父親是寧波縣政府的財政局長。聽起來似乎是一個不小的官，但當時的寧波是一個相當落後的小地方，有志的人大多希望在上海、南京或北平等大都市做事。我剛滿一歲，父親就到南京一個銀行任副經理職，當然母親和我也跟著去。我五歲的時候，父親升級了，到廣州去做銀行經理，我們全家便遷到廣州。在廣州住了只有半年，「盧溝橋事變」發生，日機開始轟炸廣州，母親和我便先遷到就近的香港。次年廣州淪陷，父親也到香港，在香港做分行經理。

我自六歲到十一歲住在香港。那時的香港人口還不到一百萬，是一個非常美麗乾淨的城市，當國內戰火蔓延，大幅國土成爲淪陷區的時候，香港真是一個世外桃源。對那一段童年，我有很美好的記憶，我們一家先住在香港，後來遷到九龍，住在很舒適的公寓裡。我在小學二年級到五年級時，入培英小學，六年級入

培正小學。兩個學校都離家近，可以自己步行上學。我們常在星期天郊遊，我最喜歡去的地方是山頂和淺水灣。近年來我常回到山頂和淺水灣，每次回去，童年的記憶又會浮現眼前。現在環繞山頂的一條路仍與當年一樣（當然整修過許多次），但當年遊客極爲稀少，俯瞰所見的風景當然與今天完全不同。當年香港最高的建築物是匯豐銀行在海港邊的十幾層樓建築；現在的香港到處巨廈林立，當年的匯豐大樓早已被拆除，如果現在還在，會小得令人找不到。至於淺水灣，當年與現在根本不能比；當年遊客寥寥，沙灘非常乾淨，現在則是喧喧嚷嚷一大堆人，完全失去當年的情調了。

我小時體質不好，雖沒有什麼大病，但常感冒發燒。母親爲此擔心了許多年，讓我每天吃魚肝油，又常燉雞湯給我吃，希望把我補得強壯一點。後來我進了中學，體質倒漸漸扎實起來。讀小學時，因爲家裡沒有兄弟姐妹，又不常和同學們在運動場上打球或遊戲，所以常一個人待在家裡。母親買了許多書給我看，記得那時商務印書館出版一部「兒童文庫」，母親買回來，擺滿一個書架，裡面有《水滸傳》、《西遊記》、《三國演義》等小說，我在小學畢業前，把整個「兒童文

庫」都讀完了。這從小就養成的閱讀習慣，一生都保持著。

飽受戰爭的驚嚇

我剛十歲那年，日本偷襲珍珠港，第二次世界大戰自此爆發，我對童年的記憶，珍珠港事件可說是一個分水嶺。珍珠港事件以前的記憶比較模糊，以後則很清晰。日本在偷襲珍珠港後數小時，立即開始攻擊香港，我家那時住在九龍，一九四一年十二月八日清晨聽到炸彈聲。但是我那天有考試，所以還是步行上學，到了學校，才開始了解情形，知道日本人已在打九龍。當然考試也不舉行了，課也沒有了，趕快回家。我家住在比較冷清的區域，父親以爲遷到旅館裡會比較安全，當天我們全家三人帶了一個女傭就搬到九龍酒店（在今日半島酒店的後面）。

三天後，九龍被日軍占領，以後香港又守了十幾天，但在聖誕夜（十二月二十四日）英軍投降。自日軍於十二月八日開始攻擊到年底，我們都躲在九龍酒店。幸而大家都很安全，卻也受到一些驚嚇。起先是炸彈聲，後來常聽見街上的

槍聲，更常聽見日軍隔海攻擊香港的砲聲。這幾個星期幾乎全部都在戒嚴狀態下，我們不能、也不想出旅館。旅館裡的食物漸漸吃盡，後來吃的都是罐頭食物，到最後罐頭也幾乎吃盡，幸而那時已開始解嚴了。解嚴後，父母親回到家，發現房子並沒有被戰火損毀，但是在英軍已撤出、日軍尚未駐入九龍的青黃不接期間，家中已被歹徒搶劫，寄居在我家的親戚和留家的女傭都飽受驚嚇。

我們在日據的香港又住了一年，在這一年中，香港的市面漸漸恢復，我小學畢業，父親也仍在同一銀行做事。日本人占領的跡象到處皆是，市內重要地點都有「皇軍」站崗，經過的路人都要對他們鞠躬。我就讀的小學裡忽然多了好幾位親日的教師，一有機會就對我們講英、美兵如何只知道喝酒享受，一聽見槍聲就立刻向後逃。父親在新政權管制下工作，更有難言的感受。所以在一九四二年底，父親決定舉家遷往重慶，重慶是那時中華民國的臨時首都，號稱「陪都」，也是自由中國最重要的城市。父親又決定在去重慶前，先到上海、寧波省視我的祖父母及外祖父母。

我們在一九四二年底乘船到上海，停留了大約三個月的時間，在過舊曆年

時，回故鄉寧波住了幾星期。對十一歲的我，在上海的三個月是很興奮的時光，我見到了多年不見、記憶中已模糊的親戚，又第一次經歷到當時中國最繁華的都市。這三個月內，父親也積極準備我們去重慶的旅程。那時雖已有許多親友從淪陷區到自由區，但要越過前線，究竟有不少風險，而且旅程要經過許多交通不便的地方。在戰時物質缺乏，一切不便的環境下，這趟旅程不能不說是父親相當冒險、但又抱著滿懷重返祖國熱情的嘗試。父母親那時才三十幾歲，正是最敢冒險的年齡。

冒死橫過戰線

一九四三年三月下旬，我們自上海出發，出發時只知道大概的途徑，至於整個旅程要多久？用什麼交通工具？路上住什麼地方？都只有父親打聽來的不完全、又不確定的情報。旅程的第一段是最可靠的一段，就是坐火車到南京，再轉火車到徐州。徐州那時在日軍手裡，但已很接近國、日軍交戰的前線。通過徐州後的目標是洛陽，洛陽在國軍手裡，所以自徐州到洛陽，要穿過戰線。

從徐州到洛陽，我們用盡各種不同交通工具，能搭卡車時搭卡車，有黃包車或三輪車時搭黃包車或三輪車，沒有任何車輛時就走路。穿越前線時，我們當然選擇一段無戰事的前線，但也絕不擔保一定不會有槍砲，那一段是完全走路的。從徐州到洛陽的旅程花了好幾天，每晚或在小旅店、或在小店、或在廟宇投宿。戰時在接近前線的地方，常有軍隊來檢查旅客，記得有一天晚上，來檢查我們的居然是國軍，父母親的笑容在離開上海後，第一次顯露出來了！

洛陽是古都，也是我們到自由中國的第一個大城市。我們在這裡休息了幾天，也順便去尋訪古蹟。從洛陽到西安有火車，但這一段還需冒一個險。因爲火車經潼關時，日軍的砲位正在黃河的對岸，聽說每月總有好幾次要對火車射擊，所以鐵路局派在這段行走的火車，都是最舊的火車，即使被擊毀，損失也不致太大。這一段路程號稱「闖關車」（闖潼關），都在晚上行駛。記得我們乘「闖關車」那晚，到了危險地段，火車速度突然增快，車廂全黑，雖擠滿了人，但大家都屏住氣，突然無聲，耳中只聽到火車瘋狂前進的卡搭搭、卡搭搭聲。過了一會，火車緩慢下來，車廂燈光復明，大家知道危險期已過，興奮地歡呼起來。

從洛陽到西安要經過黃河平原，少年最深的印象是：在戶外停留不久，臉上、衣服上就是一層黃沙。黃河平原是許多朝代的發跡地，也是古代兵馬馳騁之地。那時我已讀了一點歷史，從火車窗口眺望，常有懷古之情。

在西安，我們住在西京招待所，這是離開上海後，第一個比較舒適的旅舍。西安有不少名勝古蹟，我們也去附近的華清池，重尋千年前唐明皇和楊貴妃的遺跡。那時大家對「西安事變」記憶猶新，我們也去訪尋事變的遺跡。在西安又住了好幾天。

西行至此，下一個目的地是成都，從西安到成都沒有鐵路，只能乘大卡車。那時的大卡車理論上只運貨，不載客，但司機常「捉黃魚」，也就是偷運客人，收費爲外快。乘客坐在露天貨物上面，非但顛簸得很厲害，而且如果不用力拉住綁貨的繩子，還有被顛出車外的危險。西安到成都的公路狹窄而且險陡，當時我深深地領會到「蜀道難，難於上青天」的道理，但是沿途山景極爲雄壯。

成都是古蜀國之都，對喜歡《三國演義》的我，當然又是一個喜悅的經驗。從成都到重慶，我們坐公共汽車，那時已近最後目的地，我們都非常興奮。自上海

到重慶，一共走了五十幾天，這是一個很辛苦的旅程，沒有好的交通工具，除了幾個大城市外，也沒有好的住的地方，但是我們終於由淪陷區抵達自由區，心頭有說不出的興奮。寫至此，不禁把那次旅行與現代旅行作比較。現代旅行中，每一刻的行程都預先計劃，每段的交通工具、住宿處都在充份掌握中，總要求最高的舒適和享受，與當時的情形真是天壤之別！過去的幾十年人生中，我早已旅行百萬里，但無論近年來的旅遊如何舒適、甚至奢侈，最令我懷念的、對我最有意義的、腦海裡刻下最深印象的旅程，還是我十一歲時，從上海到重慶的跋涉。

也許這就是爲什麼那個時代被稱爲「大時代」罷？

刻苦自律的住宿生

到了重慶，入學問題當然是我的最大考驗，也是父母親的大憂慮。我在香港讀了半年初一，現在荒廢了半年，要在初二插班。重慶當時被公認爲最好的中學是沙坪壩的南開中學，每年舉辦入學考試，但名額有限，申請者多，入學極難。還有一個辦法，就是參加南開中學每年夏天舉辦的暑期班，如在暑期班成績優

異，可以直接保送入學，但這也很難。記得我們到重慶不久，有一次母親和一位顯要夫人打牌，談到我的入學問題，母親說我想入南開，那位顯要夫人很直率地說：「考不進去的，還是快點找關係、講人情。」那時我也在場，聽了這句話心中涼了半截，因爲我知道父母親是沒有什麼關係可找的。

母親決定讓我上南開暑期班，一方面可以溫習功課，一方面也有成績好而被保送的機會。南開的規矩是所有學生都要住校，這是基於現實的考量：沙坪壩雖離重慶只有二、三十公里，但當時交通不便，走讀對絕大多數學生是一件不可能的事。但是撇開現實考量，其實要求學生住校是一個很好的教育政策，在我的求學經驗中，我覺得學得最快、心情最愉快、又交到最多好朋友的時期，都是住在學校宿舍的時期。

當然，戰時重慶的學生住宿生活相當刻苦，南開已經比別的學校好，但與現在的學生住宿生活相比，真如兩個世界。宿舍是一個大統間，有一條長的走廊，走廊左、右是無數雙層的床鋪，每四張床（即八個床鋪）形成一個小間，小間與走廊無隔離，小間與小間之間也只有短牆相隔。宿舍裡只有床，沒有別的家具，

讀書必須去教室，衣服放在箱子裡，箱子則塞在床下面。宿舍裡臭蟲猖獗，乾淨的鋪蓋搬入宿舍幾天後，就開始有臭蟲。剛被臭蟲咬時，常整夜睡不好，但久而久之倒也開始習慣，儘管第二天早上總有幾處紅斑，但晚上照樣酣睡。每幾個月，學校會找一天殺蟲，大家都把床架搬到蒸汽房去蒸，但殺蟲的效果只能延續幾天，幾天後臭蟲又出現了。

住在南開中學時，每天三頓伙食都定時在飯堂用。戰時內地一般食用的米都是很粗糙、黃顏色的米，吃慣了倒也不覺得怎樣。飯菜以素食爲主，但每星期有一餐「牙祭」，桌上有一道例如紅燒肉類的奢侈葷菜，平常的飯菜可以說與魚肉絕緣。榨菜是四川的特產，我們幾乎每餐都有榨菜。有時菜吃完了而肚子尚未飽，就用醬油拌飯繼續吃。

學校生活很有紀律，每天早上六時鳴號起床，二十分鐘後就到操場早操，接著是早餐，八時至十二時上課。午餐完畢有半小時的休息後又上課，下午四時半後可自由活動，大部份同學或到操場打球，或在教室自修，或與同學聊天。傍晚六時晚餐，晚上七時到九時必須在教室讀書，九時半鳴號熄燈睡覺。每當考試

前，常有同學偷偷地在宿舍點蠟燭「開夜車」，但這是違規的。一星期中，自星期日晚上至星期六中午，學生必須留在校園內，除非特別請假，不能離開校門。比較大膽的同學有時在晚上熄燈後，偷偷越過校園的籬笆到外面小店去吃宵夜，我也有時參加。但有一次被在校外巡邏的訓導主任捉住了，被記小過二次，而且在布告版上貼出來，我覺得這是很沒有面子的事，後來也不敢再「偷渡」了。

南開教育影響至深

我讀南開暑期班居然成績很好，暑期班結束後被學校保送為初二正式學生，心中一塊大石才放下來。父母親也非常高興，母親尤其覺得她在朋友圈裡很有面子。

在南開讀了兩年半，自初二到高一，自一九四三年夏天到一九四五年冬天，也自抗戰還仍艱苦的時候，到抗戰勝利後。這是我第一次住校、第一次比較自主生活、第一次自早至晚過團體生活，也是第一次開始走出父母親的庇護。雖然生活很刻苦，但心情一直非常興奮愉快。我們自許為大時代的中國未來主人。那個

時候的局勢看來，最後勝利已不是問題，中國在國際的地位，也自珍珠港事變後，迅速地晉升爲「四強」之一。我入南開後不久，蔣主席（當時蔣介石先生是國府主席）參加開羅會議，與羅斯福總統、邱吉爾首相平起平坐。消息傳來，更使國人鼓舞，大家都認爲中國人被列強欺負了百餘年，現在終有出頭的日子了，此後國家建設大業就在我們年輕一代的肩上。

當時南開的老師們都是一時之選，無論學問上，或教導精神上，都受到同學的尊敬，我印象最深刻的有兩位。國文教師是一位年紀相當輕的女士，她是安徽桐城人，講解桐城派古文時，把以詰屈聱牙聞名的桐城派古文講得趣味盎然。還有一位是音樂教師，那時美國迪士尼的名音樂卡通片「幻想曲」剛問世，在重慶電影院放映。這部片子以趣味卡通解剖古典音樂名曲，啓發了許多原來與古典音樂無緣的聽眾對古典音樂的興趣。我們的音樂教師去看了這部電影，回到學校後熱情地向同學推薦，她眉飛色舞推薦的情景，至今仍歷歷在目。我後來也去看了，果然獲得了她所預期的效果：我對古典音樂的喜好，可說自此始。

初三時，我與幾個同學同辦壁報，名其爲「健報」，取「天行健，君子以自

強不息」之意。我負責文藝欄，每週除徵求同學的文稿外，自己也要寫一篇。爲了辦壁報，我兩次訪問南開校長張伯苓先生。張先生是教育家，抗戰前在天津辦南開大學。戰事發生後，南開大學成爲昆明西南聯大的一部份，張先生又在重慶辦南開中學。用現在的話來說，他是當時的「社會賢達」，很受大家尊敬，也被政府任命爲國民參議會主席，蔣主席對他也執禮甚恭。我訪問張先生時，他已年逾六十，印象最深的是，以他這樣有地位的長者，見到我這個十幾歲的青年，卻一點沒有架子，諄諄不倦地對我講許多事。

幾年前，忽然在台灣收到一本「重慶南開中學一九四八級同學錄」，題名爲《詩吟影憶同窗情》。厚厚的一本書，裡面有不少舊同學的回憶，也有不少照片。更難能可貴的是，昔日同辦壁報的馬平君撰寫了一篇長文，娓娓細談當時的「健報」。夜闌人靜時翻讀此書，撫今追昔，半世紀前同窗沙坪壩，五十年來滄海桑田，如今大家都垂垂老矣，這本書卻喚回了不少舊夢。

南開教育正是我思想漸漸成形的幾年，對我影響深遠。爲了寫這本回憶錄，又找出《詩吟影憶同窗情》翻閱，偶然翻到南開校訓：「允公允能，日新月異」。

這八個字是當年校園裡常見到的，但現在已有幾十年不想到它。兩年前我爲主持的幾家公司寫經營理念，以之爲同仁共勉。花了好幾天的功夫，寫成十條經營理念，自以爲是數十年來思考和經驗的結晶，看到「允公允能，日新月異」八字，猛然悟到我的十條經營理念，其實不出這八個字。南開對我的影響，竟深若如此。張伯苓先生在天之靈或可稍許得到些慰藉罷？

一九四五年八月日本投降，八年抗戰，一旦勝利，消息傳來，重慶舉城狂歡，人民的心情，可以用杜工部（即唐朝詩人杜甫）的詩來形容：

劍外忽傳收薊北，初聞涕淚滿衣裳；
卻看妻子愁何在？漫卷詩書喜欲狂。
白日放歌須縱酒，青春作伴好還鄉；
即從巴峽穿巫峽，便下襄陽向洛陽。

千年前詩聖的詩句，竟似爲勝利的山城重慶而寫。勝利的忽然來臨，民眾的

驚喜若狂，大家急於要回鄉的情景，都被杜甫形容得淋漓盡致。

父親難償宿願

當年十二月母親和我從重慶返回上海，父親還有事在重慶，過了一個月後才來。母親和我搭美軍軍用飛機自重慶直飛上海，飛行時間僅四小時（當時還是螺旋槳機），與兩年多前西遷重慶時五十幾天的跋涉比較，何啻天壤！

上海在淪陷時期仍不失其繁榮，勝利後更是「東方的巴黎」，舊有的租界雖一概取消，但十里洋場、紙醉金迷的風氣卻更爲變本加厲。我在去重慶前曾在上海住了幾個月，現在大了幾歲，而且在重慶的生活又是那麼清苦，所以到上海真像劉姥姥進大觀園，耳目應接不暇。對父親來說，在上海安居樂業是他的宿願，因爲上海是全國最大都市，又近故鄉寧波。他服務的銀行在勝利復員後給了他一個小升遷，使他可以在上海總行服務。他和母親想到，多年顛簸流離之後，在上海定居下來，一面求事業的發展，一面可以就近奉養仍健在的祖母和外祖父母。所以，父親從重慶回到上海半年後，就花了他平生大部份積蓄，買了一幢房子，

這是一個很舒適的家，也是他生平唯一一次買房子，可惜事與願違。我們在那新房子住了只兩年多，就因內戰而又要逃難。父親生前最後幾年神志已不大清楚，他念念不忘的除了母親和兒孫外，還是這幢花了半生積蓄買下但只住了兩年多的房子。

我到上海時正值學年中，暫入聖約翰大學附中讀書，聖約翰附中與聖約翰大學同址，在兆豐公園後面，風景優美。半年後考入南洋模範中學，在高二插班。南模是上海數一數二的中學，尤以數理程度見稱。它雖是一個獨立的中學，但因爲畢業生大多考入當時有「中國之麻省理工學院」之譽的交通大學，所以常有人戲稱南模爲「交大附中」，南模師生也不以爲忤。幾十年後，我被選入交大校友會，我說我未進過交大，大家說：「但你在南模，那不是交大附中嗎？」於是我成爲交大校友。

打消作家夢

我對中國文字的愛好起因於童年不善運動，獨自在家讀「兒童文庫」的時

期；而開花在南開中學時期，那時國文教師指導我課外閱讀文言文及白話文學，同時我也大量寫作。除了在「健報」發表外，也投稿校園內別的學生刊物。在上海讀高中時期，我對中文的愛好已相當成熟，一方面似懂非懂的看老子、韓非子、荀子、《詩經》、《史記》等古文（《論語》、《孟子》已在小學讀過），一方面讀現代作家的小說、劇本、散文。魯迅、胡適、徐志摩、茅盾、巴金、冰心、曹禺、徐訏等都是我喜愛的作者。我尤喜徐訏小說「輕輕的憂鬱、淡淡的哀愁」的情調。記得當時他的《風蕭蕭》問世不久，我至少讀了三次。徐訏先生去世已久，他死後聲名漸漸衰落，現在恐已很少人還記得他的作品。幾年前我在台中偶逛書店，竟見到他的《風蕭蕭》，立刻就買了一本回旅舍翻閱，重溫少年時讀此書的滋味。至今，我仍認爲他應該是更受重視的現代作者。

對中文的愛好，自然而然地引起我想成爲一個作家的少年痴想。現在想來，這真是很幼稚的想法。我才讀了幾本書、寫了些給中學生看的文章，就想當作家了？但在當時這個十六、七歲少年的天真心裡，倒真是一個誠摯的願望。幸而父親很快、也很技巧地把我從夢中喚醒。他當然知道我不識天高地厚，我的能力距

離做作家還太遠。但他不從那個角度說，他只是很世故地、輕描淡寫地帶著微笑說：「寫作是一個不易謀生的職業。你做作家，可能會餓肚子。」當時我對父親的人生經驗有絕對的尊敬，聽了這話，也就漸漸打消了成爲一名作家的野心。

亂世中的無憂年少

自一九四五年底到一九四八年春，我們在上海過著中上階級舒適、安定的日子，父親有他的銀行職務，母親除管家外，也有她的社交圈，祖父已在我們在重慶時過世，父親便自寧波接了祖母到上海來和我們同住。我的六叔那時正在上海交大讀書，也住在我家。我相當用功讀書，因母親認爲南模的英文程度不夠高，替我找了一位外國教師補習英文，我的英文名字Morris就是他以「謀」字諧音而取。同時我開始學小提琴、打網球，課餘也常去看電影，或與同學打橋牌，也偶爾去霞飛路樹蔭森森的路邊咖啡館喝咖啡。那個時期的上海至少表面上歌舞昇平，我也過著無憂無慮的少年生活。

一九四八年初，內戰戰場在東北，對上海居民來說，戰場還遠得很，而且大

家對國民黨的最後獲勝仍有相當的信心。對我來說，第一聲警鐘在一個晚春的夜晚響起。那晚父親邀了幾位學術界朋友在家晚餐，有一位是當時的立法委員。我在十五、六歲後，父親在家設宴常囑我作陪，父親的用意是讓我聽聽成人的談話，所以那晚我也列席。父親和友人縱論時局，有幾位竟對當時內戰情勢相當悲觀，論調與當時報章所載很不相同。那天晚上的談話，使我既驚心又開始擔憂，內戰的陰影自此籠罩我心。

銀行系只讀兩個月

一九四八年下半年，戰局急轉直下，共軍席捲華北，咄咄逼向長江。那年夏天又有金圓券的浩劫，國內的惡性通貨膨脹，已是多年的積弊，隨著戰局惡轉，物價上漲已到一天數倍的不可收拾狀態。但是直至那時，人民尚可合法持有黃金或美鈔，以資保護儲蓄。在一九四八年夏天，政府改革幣制，把法幣改成金圓券，同時嚴禁人民持有黃金或美鈔。民眾手上的黃金或美鈔均得限期兌換成金圓券。大家對金圓券沒有信心，只得買房地產，上海房地產價格因此一夕之間上漲

數倍！

就在這個亂世中，我從中學畢業了。畢業那晚我和幾個相熟同學慶祝，大家喝了不少酒，盡情地叫喊，盡情地歡樂。夜已闌，我們漫步到黃浦江畔，大家湊了點錢，租了一條帆船到黃浦江上遊江。滿天繁星下，遠遠的上海如醉如夢，是我們醉了？還是上海醉了？同遊中一人，乘酒意跑到船頭大喊：「黃浦江，我們還能在這裡住多久？」大家大笑和之。這樣的豪情，以前、以後都不曾再有。

但是亂世歸亂世，在一九四八年的七、八月裡，絕大多數的上海高中畢業生還是考大學。但是我讀什麼呢？文學的念頭已被父親打消，理工的興趣打不起來，於是父親說：「你還是讀商科罷，也許我還可以教教你。」於是，我投考了滬江大學銀行系，和交通大學工商管理系。放榜時居然兩個學校都榜上有名。滬江在當時被認爲是第一流的文商科學校，而且是父親的母校（注：父親曾先後就讀過滬江大學及光華大學），我便決定入滬江。滬江在楊樹浦，從上海市區去，要乘一小時左右的電車和公共汽車，走讀不便，而且我很喜歡在南開住宿的團體生活，於是決定住宿在校。校園環境優美，其中一角還有一條河穿流而過，許多

同學常在黃昏到河畔散步。可惜我在這個幽美的環境只待了兩個多月，在這兩個多月內，戰情更爲惡化，共軍已逼近徐州，國共對峙在徐蚌區域，徐蚌會戰有一觸即發之勢。上海人心極度緊張，房地產價格隨戰局的緊張一落千丈，幾個月前在金圓券幣制改革時一夕上漲幾倍，現在一下子跌到原來價格以下。這個極富諷刺性的悲劇，使多少人傾家蕩產！

再度逃難到香港

父母親的心情在這期間極度低沈，多年來的希望和夢想，面臨破碎，而且這次再要逃難將和過去大不同。過去逃日本人的難，心中抱著最後勝利的希望和信心，這次卻不知道什麼時候可以回來了。父親本有不走的意思，但是經過與知友商量，左思右想後，覺得留下來的風險太大，決定還是以走爲是。他尚有職務在身，不能立刻走，就先送祖母、母親和我帶了幾件隨身行李，登上往香港的船。我們離上海時，已是許多人急著要逃難的時候，父親好不容易才爲我們買到三張船票，祖母、母親和我擠在一個小艙房裡。

一九四八年十二月，帶了一顆沈重的心，我們回到了我曾度過五年快樂童年光陰的香港。母親和我離開香港整整六年，其間經歷了淪陷的上海、戰時的重慶，回到承平的上海，現在又避難回到香港。只有十七歲的我，竟已油然起飽歷滄桑之感。到香港幾天後就是聖誕節，平常不大去教堂的母親和我，那天也去做禮拜，我們祈禱父親的安全，祈禱我們能早日回上海。

香港幽美如昔，戰後人口反而減少。那時大陸變色，難民正大量湧入中，但一九四八年底，總人口仍只有百萬餘，只是現在的五、六分之一。淺水灣、山頂景色如舊，又成爲我家喜愛的遊憩之地，但是心情已經少了童年的那份輕鬆愉快了。

我們到香港一個多月後，父親也來到香港，一家又團聚了。父親離上海時，上海已是危城；二、三個月後，共軍占領上海。此後共軍的氣勢更如秋風掃落葉，不到一九四九年底，大陸錦繡河山已全部落在「人民共和國」的版圖內。

回上海已遙遙無期

在上海的最後幾星期，全家忙著逃難，根本無暇想到未來的問題。到了香港，我的第一個大憂慮又是求學問題。我過去的計畫已經粉碎，不但回上海重入大學遙遙無期，而且經過大陸政治、經濟體制的改變，讀商科還有前途嗎？父親到了香港以後，就很堅決地認爲我必須讀理工，畢業後才能謀生。到哪裡去讀理工呢？香港那時只有一個香港大學，非但理工不強，而且整個學校也不太被看好。在逼不得已下，父親認爲我只有一條路：去美國讀大學，他還有能力供給我第一年的學、雜、生活費。至於一年以後，要看他在香港的情形如何，而且我在比較習慣美國環境以後，應該可以申請獎學金，或半工半讀。母親很坦白地對我說，即使我第一年的費用，對父親來說已是一個沈重的負擔，「幸而你是獨子，不然我們不會有能力送你出國。」

就在這樣情形下，父母親決定送我出國了。三叔張思侯先生那時已在波士頓東北大學任教授，他替我選擇申請入哈佛大學。爲什麼選哈佛大學呢？第一，哈

佛是舉世聞名的學府，第二，哈佛在波士頓，三叔可以就近照顧我。但是波士頓還有一家也是舉世聞名，而且專長理工的學校：麻省理工學院。爲什麼在父親已明明告訴三叔我要讀理工後，三叔還是不替我選擇麻省理工呢？關於這點，我後來問三叔，他笑說：「我知道的你，是在重慶南開的你，那時你熱愛文科。後來我又聽說你要讀商科。一直到你到香港才聽說要讀理工。我想你應該有時間漸漸建立自己的興趣，與其急急地把你插入非常專門的麻省理工，不如讓你在哈佛有一個緩衝時期。何況，哈佛的理工科也是頂尖的，只是不如麻省理工那麼專門而已。」

三叔真是料事如神，他的判斷百分之百正確。即使從幾十年後的現在回顧，哈佛一年是我一生最興奮、最有意義、最難忘的一年。

父親和我當時對三叔爲我選擇哈佛，都沒有意見。父親是銀行人，知道哈佛的名聲，但不大知道麻省理工。我那時雖知道麻省理工，但也以爲哈佛的名氣大得多了。

人生重要分界

二度羈留香港，住了七個月，最大的事情就是辦護照、簽證、和申請入哈佛。爲了不荒廢學業，我在一家私人書院上課。除了加緊溫習高中讀過的數學、物理、化學外，還結交了好幾個很好的朋友，我們做年輕人喜歡做的事：郊遊、去沙灘、看電影、打橋牌、聊天、吵架、吵架後又很快地和好……七個月的時間很快過去了。終於，一切手續都辦好了，我將成行；那是一九四九年七月，我剛滿十八歲後的十二天。在香港啓德機場，我在父母叮囑聲、同學惜別聲中登上汎美公司班機，起程去舊金山。起飛後，我在飛機上寫那天的日記：

凌空而起，悵然回顧，香港已在雲霧中。香港半年，真如一夢，夢中明知是夢，只覺可笑而已。然而夢後回憶，竟有十分的淒涼味。八時天色漸暗，飛行在雲層之上，四顧茫然，六年前初入南開中學的鄉愁，又驟然來到我心。我從未離家如此之遠，也從未計劃離家如此之久，如今遠涉重洋，要到一個陌生的國家

去，展望前途，渺茫之極，怎不令人感傷呢？

幾十年後讀這篇紙頁已黃的舊日記，當時的心情，猶如昨日。許多年後回顧，十八歲在香港的七個月是我人生的重要分界。我的舊世界隨大陸易色而破滅，新世界正待建立。香港以前，我和千百萬與我相似年紀的青年一樣，一心預備在國內求學、做事；香港以後，我走上長居國外的第一步。香港以前，我想從商；香港以後，開始一生的科技生涯。香港以前，父母親是我的天地，我事事都倚賴他們；香港以後，我發現父母親已不能幫助我，我只能倚賴自己了。

第二章

哈佛大學與麻省理工

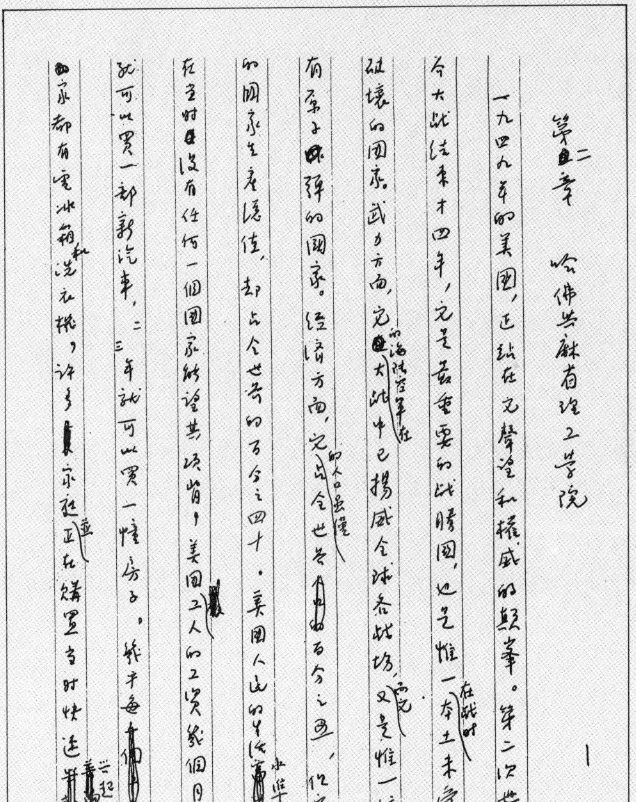

第二章　哈佛與麻省理工學院

一九四九年的美國，正站在它聲望和權威的顛峰。第二次世界大戰結束才四年，它是最重要的戰勝國，也是惟一在戰時本土未受破壞的國家。武力方面，它的海陸空軍在大戰中已揚威全球各戰場，而它又是惟一擁有原子彈的國家。經濟方面，它的人口雖僅占全世界百分之五，但它的國家生產總值，卻占全世界的百分之四十。美國人民的生活水準在當時沒有任何一個國家能望其項背，美國工人的工資幾個月就可以買一部新汽車，二三年就可以買一棟房子。幾乎每個家都有電冰箱和洗衣機，許多家庭正在購買當時快速普及

哈佛同學的優秀與多元化，

是我在短短一年中消除和美國人做朋友的障礙的主要原因，

她給予我豐盛的智慧與心靈生活。

較諸哈佛，麻省理工則是一所相當乏味的學校，

但她的專業理工訓練給了我就業的本錢，

我對她雖有十分敬，卻只有五分愛。

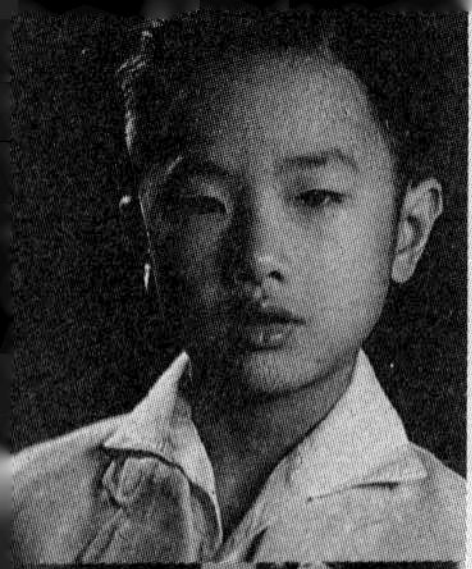

一九四九年的美國，正站在聲望和權威的顛峯。第二次世界大戰結束才四年，她是最重要的戰勝國，也是戰時唯一本土未受破壞的國家。武力方面，美國的海陸空軍已在大戰中揚威全球各戰場，又是唯一擁有原子彈的國家。經濟方面，人口雖僅占全世界五％，但國家生產總值，卻占全世界的四〇％。美國人民的生活水準在當時沒有任何一個國家能望其項背，一名美國工人幾個月的工資就可以買一部汽車，二、三年可以買一幢房子。幾乎每家都有電冰箱和洗衣機，許多家庭並正在購置當時快速興起的電視機。已婚女性就業還不普遍，所以大部份家庭都只有一名工作的人，但即使一份工資已能使全家享有相當舒適的物質生活了。

只要努力，就能出頭

但是最令世界其他國家人民，包括我在內，嚮往的，倒並不是美國的武力和經濟，而是她所實行的民主、自由制度，以及普遍存在於美國社會中的「只要努力，你就能出頭」的理想。我到美國時，正是杜魯門意外擊敗杜威，成爲美國第

三十三任總統的八個月以後，那個意外的勝利還是大家津津樂道的話題。一般的意見認爲，這是人民的勝利，也是民主的勝利。杜威雖富有才華，但給人的印象總是冷漠與傲慢。杜魯門卻充滿了「普通人」的耿直氣味。而且在競選中，杜威自以爲勝券在握，因此避免正面討論國家政策，反之，杜魯門則處處採取攻勢，犀利地攻擊當時被共和黨控制的國會。於是人民採取行動了，他們決定他們寧願信任杜魯門。雖然政客們都認爲杜威會當選，經常操縱民意的媒體也以爲杜威會當選，甚至當時技術還未成熟的民意測驗也預測杜威勝利，但是人民最後選擇了杜魯門。

那時美國人民在每項地方、聯邦選舉中的投票率都遠高於現在，對國家、地方政治的關切也高於現在，人民的新聞來源主要是報紙、雜誌，電視成爲重要的新聞媒體還是一、二十年以後的事。報紙雜誌對時事的報導和分析往往比電視詳細和深入，後來電視新聞崛起，雖然把新聞簡單化、甚至趣味化，但也把它皮毛化了。

美國人民的自由是有條件的——必須守法，而法律相當明確，沒有什麼含糊

的地方，執行也相當嚴謹。對我這個自亂世過來的烽火餘生者，一九四九年的美國法治恍似另一個世界。當然報紙上也常有犯罪新聞，但是我所居住的劍橋城大部份人民的生活中，似乎都沒有犯罪黑影侵入。「夜不閉戶，路不拾遺」的確是當時的生活寫照。

至於「只要努力，你就能出頭」的理想呢？這似乎是一般人民共同的信仰。事實上，當時美國人的勤奮習慣遠超過今日，在各行各業中，多的是白手起家、奮鬥成功的例子。

一九九六美國總統大選，候選人之一是年逾七十的杜爾，他在經濟蕭條時代（一九三〇年代）成長，在二次世界大戰中服役受傷，在戰後美國顛峯時代的政界顛簸。他在競選總統時曾說，他年輕時許多美國的價值觀念，例如家庭、勤奮、倚賴自己等，現在已喪失殆盡。他如果當選，要把自己作爲聯結那些價值觀念的橋樑，重新建立那些價值觀。這段話引起不少人的共鳴，但是民主黨卻以此嘲諷杜爾的年齡，並且說杜爾只能建立走回過去的橋樑，而民主黨卻要建立走向未來的橋樑。但是這未來的橋樑又走向怎樣的未來呢？難道是更多的犯罪？更多

的離婚？更多的社會鬥爭？更多的社會福利所引致對政府更大倚賴？

呼吸自由的氣息

總之，二十世紀中葉的二、三十年是美國政、經、生活文化的黃金時代，對當時還處於貧窮、混亂、黑暗的世界，美國具有無比的吸引力。紐約港自由女神像的基石上有以下的詩句（請見第七十八頁本章文末注釋）：

「保存你的古老的土地，保存你的傳奇性的靈華！」
她無聲地吶喊，
「給我：你的疲勞、貧窮、畏懼的人民，
他們要呼吸自由的氣息。
把那些失去家園、久經風暴的送過來吧，
我舉起我的燈光，
靜候在這黃金門旁！」

何等氣魄！何等胸襟！這詩句是一位美國女詩人在二十世紀初爲自由女神像的建立而作，但五十年後讀來，仍令人覺得非常親切。我是到美國多年後才讀到，仍不免深受感動。在飛行尚未普遍前，歐洲移民都是乘船到紐約。當郵船緩緩駛入紐約港，船上的移民蜂擁在甲板上，遠眺漸漸接近的自由女神像，爲此景感動得流淚的大有人在。亞洲移民大多乘船到舊金山上陸，他們也都蜂擁在甲板上遠眺，舊金山港雖沒有自由女神像，但移民看見的第一個美國景色是同樣美麗、橫貫舊金山灣的金門橋，見此景而感動流淚的也大有人在。

可惜我因爲坐飛機，錯失了這感人的美國第一眼。我自香港起飛，經沖繩島到東京，在東京休息約二十小時後再飛，經威克島、火奴魯魯抵舊金山，全程約四十八小時。抵達舊金山時有一位親戚來接我。他是柏克萊加州大學的研究生，比我年紀要大近十歲，看到我這毛頭小子，大約覺得也沒什麼可談的，所以除接送我外，就讓我自由活動。我住在舊金山中國城裡的一個小旅館，白天乘公車到舊金山市內和近郊遊覽，晚上在華城的小餐館吃炒麵炒飯。幾天後，上火車去波士頓，兩天後到達，三叔全家都在車站接我。

暫住三叔家

三叔那時三十六歲，他是上海交通大學電機系的高材生，畢業時全班第二名，畢業後在北平清華大學任教。抗戰發生後，遷重慶，又在重慶九龍坡交通大學任教。當父母親和我到重慶時，他已升任爲交大教授，但他仍以從未出國深造爲憾。於是，在抗戰勝利後的一九四五年底，當有機會出國時，他毫不猶豫地決定暫離三嬸和小孩，獨自遠涉重洋到哈佛讀博士。不到一年，他就完成博士學位，又因爲在中國已有相當教學經驗，獲得博士學位後，就被聘爲美國東北大學教授。三嬸和三個堂妹也在一九四八年初到美國定居。

三叔雖是大學教授，但美國教授待遇一向不高，比較有名望的教授都以做企業顧問，或參加經營公司等辦法增加收入，而三叔因爲剛開始做事，這些管道都還沒有建立，所以他的收入至多相當於美國的中產階級而已。我也因此初到美國就有機會看到美國中產階級的生活。三叔嬸有三個女孩，大的十三歲，小的八歲，而三嬸正又懷孕，在美國他們算是一個不小的家庭。三叔有一輛新車，但還

沒有錢買房子，他們在一個中等住宅區內租了一個公寓，有一間起居室，一間相當大的廚房可以兼做飯廳，還有兩間不很大的臥房。三叔嬸住一間，三個小孩住一間，實在相當擁擠。家雖不大，但有洗衣機、煤氣爐、電冰箱、真空吸塵機、暖氣等設備；那時電視在美國家庭的普及率只是二〇%左右，但三叔已買了一台，自然成爲全家休閒的焦點。三嬸對家庭的開支必須有相當規劃，也不能奢侈，但全家飽暖，平常吃的也都很可口且富於營養。三個堂妹都在公立學校讀書，學雜費負擔很輕。家中常有朋友來訪，如正是吃飯時間，三嬸就多燒一、二個菜饗客。週末全家常常開車到郊外遊玩，有時也去看球賽、電影等。總之，三叔全家的生活可以說很滿足、快樂，他們當時的物質生活水準恐怕也還在今日台灣的中產階級水準以上。

結識知交柏曼

我初到波士頓，在三叔家住了一星期，就睡在起居室的沙發上，當然這只是權宜之計，第二星期就搬到一個私家宿舍（rooming house）。美國城市裡有不

少家庭把一個或幾個房間租出去給外人住。出租的原因有的是因為子女長大離家自立，老夫婦不需要大房子，出租房間正可以貼補他們的退休生活。也有些年輕人實在買不起大房子，但硬起頭皮買了後，只好把一部份出租。這些「私家宿舍」的房客與房東同一大門出入。通常房東不供給膳食，而且對房客的行為有相當嚴格的規範。例如不准大聲開收音機、不准許移動家具、不許在房間內有異性訪客，晚上十時後不許有任何訪客等。住私家宿舍的好處是，第一、價錢便宜，我那時每週房租美金七元，比中等旅館還便宜五至十倍。第二、如果房東和善，住在他家倒有一種旅館沒有的親切感。

雖然我在三叔家只住了一星期，但在大學時期，我始終把那裡當成「家」，幾乎每個週末都去，有什麼疑難也都先問三叔。三叔一直在東北大學當教授、研究教授。幾十年中，他發表了不少論文，也教育了不少年輕人，十幾年前退休後，搬到舊金山灣區居住。他的子女現在都在美國西部，孫子、外孫、外孫女一大羣。他和三嬸已年逾八十，但身體健康，過著平靜的退休生活。

九月下旬哈佛開學，開學前幾天就可遷入宿舍，我第一天就搬進去了。哈佛

一年級學生住在「哈佛園」〔注：哈佛園（Harvard Yard）為哈佛大學部所在，在劍橋城中心。園內雖有不少建築，但也有許多樹木、草坪，環境優美。〕周圍的十幾幢宿舍裡，每幢可住近百人，這些宿舍都是一百多年的老建築，雖老舊，但房間很寬敞。通常兩人一間，如要申請單人間也可以，但單人間不多，即使申請也不見得分配得到，且宿費較貴。三叔早就囑我住雙人間，可以多與同學接觸，所以我也沒有申請單人間。申請雙人間時，因爲我不認識任何同學，只好讓學校派室友，後來發現大部份同學的情形都和我一樣。

我的房間在三樓，我搬入時室友還未到，但二樓有一位同學也正在搬入，我們就談起來了。他的名字叫柏曼，家就住在波士頓近郊，父親是中學英文教師，他本人也預備步父親後塵讀文學。我們搬完行李後，一起到附近的咖啡館吃三明治，談得非常投機。當天他就說他也不認識他的室友，覺得和我很投契，建議我們臨時申請成爲室友。我婉拒了這個邀請，因爲我不願得罪尚未見面的室友，也覺得他的邀請相當唐突。但後來柏曼卻成爲我此後幾年的莫逆之交；我在寒假時到他家去，他們有一幢小小可愛的房子，他的父母親是和善的長者，他的弟弟是

很有禮貌的年輕人，家庭中充滿著溫暖。我也帶柏曼去三叔家，介紹我的「家」給他。我後來轉學麻省理工學院，但仍常常和柏曼見面。我結婚時，柏曼是我的男儐相，他的全家都來參加我的婚禮，直至我們都畢業才音信漸疏。

進入哈佛之前，我不認識什麼美國朋友。過去我對美國人的認知可說全從書本上得來。一般書上的說法總是以爲美國人熱情、直率，但不容易與他們有深交。但我與第一個美國朋友柏曼就立刻突破了這個窠臼。此後幾十年中，我認識了許多很要好的美國朋友，近十幾年在台灣當然也認識了許多投契的台灣朋友。我想，友情的形成與維持在世界各國都一樣，只要能「以誠相待」，不怕沒有朋友。

化解種族歧視的恐懼

我的室友名叫辛克萊，父親是哥倫比亞大學教授，家住紐約。辛克萊想攻人類學，他喜歡運動，長得很帥，開學不久就交了一大堆女朋友；後來辛克萊也成爲我的好友。他常邀我一起去看球賽、參加舞會，有時還介紹女友給我。我也常

邀他去音樂會、演講會、辯論會等。無論是我和他一起去看球賽或去舞會，或是他和我去聽音樂會或演說，結果都是很愉快。

同宿舍的同學在開學前後幾天陸續遷入，在以後的幾個星期中，我認識了近百個文化不同、背景各異但興趣相似的年輕人，其中有好幾位成爲我在哈佛那一年的好友。在近百個同學中，並無一人因我是黃種人而敵視，當然也有幾個人對我冷漠，但他們通常對每個人都冷漠。我入學前對「種族歧視」的恐懼，在入學後很快地就化解了。

一九四九年哈佛一年級新生共一千一百餘名。其中外國人與少數民族如下：美籍黑人一名，外國學生共十四名，其中來自中南美洲八人，來自歐洲三人，來自非洲一人，來自亞洲二人（除我外，有一位日本人）。所以這一班幾乎是清一色的白種美國人。他們的興趣涵蓋很廣，在我同舍中，有物理、數學、化學、人類學、政治、經濟、醫學、外交等系學生，我似乎是唯一要學工程的一年級生。當輪流講自己的志願時，我說我想學工程，大家幾乎異口同聲地問：「那你爲什麼不去麻省理工學院呢？」

開學時就要選功課。哈佛學生的通常負擔是四門，最多不能超過六門。三叔說我可以讀五門。一年級是「通識教育」，也就是說，只有三門可以選專修領域，其餘必須在專修領域以外。還有另一項規定，英文是外國學生的必修課。美國學生則可參加英文考試，如及格就可以不必選英文。事實上，三分之一以上的美國學生都沒有及格，也只得選英文，所以英文班是一年級最大的班。

克服英文障礙

我的五門功課內，四門其實已定了。三門是理工專修課程，我選了物理、數學和化學，第四門是英文。第五門呢？我去找外國學生導師。他是一位和藹可親的中年教授，隨便翻了翻課程目錄，目光停在人文學類說：「人文學是西洋文化歷史的介紹，應該對你很有意義。」我第一年的五門課便選定了。

開學後很快就發現了這五門功課的難易。南洋模範中學的數理水準很高，而且在我輟學的近一年中，隨時在溫習數理，所以數學、物理對我不難。化學一直不是我所喜歡的功課，但南模的準備也使我足有能力應付。

英文呢？我在香港念小學時就讀英文，以後也一直沒停過，我的英文程度應該說是在國內中學畢業生的平均水準之上，但是一直到十八歲，只有在學校上英文課才用到英文。到美國時，英文會話只能勉強應付；寫作方面，雖然懂得的文法比一般美國人多，但實際寫信或作文，絕對沒有美國中學畢業生那麼流暢，所以我開始上英文課時，抱有相當的畏懼感。後來的發展卻相當意外。我們的教材主要擷取於近代文學（美國文豪海明威的著作尤為講師所喜好，我後來也成為一個海明威迷），也常讀具文學價值的政治文獻，例如林肯、羅斯福總統、邱吉爾首相的演說等。我從小就感受中國文字的魅力，在哈佛短短的一年中，竟對英文也產生了同樣的喜愛，只短短幾個月，對英文課的態度就從開始的不安，轉變成喜好。非但把講師指定的閱讀資料都讀了，而且一有時間就看一般推崇的近代英文文學、哲學、政治、經濟著作。哈佛一年中，我的閱讀之多與廣是後來一直不及的。我讀了海明威、費茲傑羅、高爾斯夫思、辛克來·路易斯、珍·奧斯汀、莎士比亞、蕭伯納的作品、邱吉爾的二次大戰回憶錄、近代美國總統的著名演說、美國歷史、威爾斯的世界史、好幾本關於中國的英文著作，還涉獵幾部古典

巨著，如吉朋的《羅馬帝國衰亡史》，亞當．史密斯的《國富論》，甚至馬克思的《資本論》。除了這些巨著外，我訂了兩份報紙：《紐約時報》和在波士頓出版的《基督教論壇報》，還有《時代》雜誌。

荷馬、莎翁、蕭伯納

刺激我一頭栽進英文熱的另一個因素，是開學時外國學生導師不經意地替我選的人文學課。開課前我只從課程目錄知道這是一門介紹西洋文化演變的功課，但開課第一天就得到了一個大震撼，原來它以介紹古典名著、進而了解時代背景的方式介紹西洋文化演進。上課第一天，教授説明全學年的教材：以西元前八百年希臘詩人荷馬的《伊里亞德》始，接著讀羅馬詩人路克利沙、十七世紀英國詩人密爾頓的《失樂園》。第二學期以莎士比亞劇本開始，然後讀十七世紀愛爾蘭作家史越夫的《格列佛遊記》，最後是蕭伯納的劇本。「如果還有時間，也許可以看看近代的著作。」在下課前，他很輕鬆地交代：「下堂課前（兩天後），你們可把《伊里亞德》的前五章看一遍。」

當然我立刻就去買了一本《伊里亞德》，立刻就開始讀，但是，天哪！以我那時的英文程度讀希臘古詩的滋味，我想大概和一個僅通日常中文的外國人讀《詩經》一樣。那天下午和晚上，我花了好幾小時，查了字典不少次，總算讀完了《伊里亞德》第一章。更令人氣餒的是，這班同學大部份都是文科專長，對《伊里亞德》並不陌生，許多人從前多多少少看過此書。柏曼是這班同學，他就讀過全部《伊里亞德》，與他們競爭，我顯然處很大的弱勢。此後幾個月，人文課雖只是我五門功課之一課，但我投入的時間與用功的程度至少相當於別的兩門功課。

這樣持續了幾個月苦功，漸漸地，我對英文古文不再感到那麼生澀，而且竟然感覺有趣了。第二學期開始時，我已把讀莎翁的劇本視爲一個樂趣，後來讀蕭伯納的劇本更覺趣味盎然。即使開始時視爲畏途的《伊里亞德》，後來重讀也覺得裡面的希臘神話富饒意味，有些神話故事至今還在腦海裡。最近有一次與一位美國人做商業交涉，我引用希臘女神卡姍德拉的話，他會後問我怎麼會熟悉希臘神話？我說這是幾十年前讀荷馬的結果。他大爲驚奇說，現在連美國人都很少讀荷馬，想不到讓中國人領先了。

英文成為思考主語

哈佛這一年，我的數、理、化只能說是「循序漸進」，但英文學習，卻有突破性的進步。以閱讀而言，英文課使我接觸了近代著作的領域，人文學課又同時把我引入了古典著作的堂奧。課外閱讀則包括許多重要書報雜誌。以寫作而言，英文課每星期要寫一篇短文，每學期要寫一篇長文，人文課也不斷地要寫報告與論文。以會話而言，這一年中除了週末去三叔家時說的是中國話，平常說的、聽的都是英文。這一年中，視、聽、言、作各種外在表達無一不是英文的世界，英文也漸漸代替中文，成爲我內在思想的語言。

學習英文的經驗使我了解到，年紀愈輕，學習新的語言愈容易。我六歲到香港，開始學廣東話，後來講得和廣東小孩一樣流利。十二歲到重慶，又重新學國語，也覺得非常容易。十八歲到美國，對學新語言來說已是不小的年紀，必須有一個特別的環境和特別的努力才能學好。哈佛正是這一個特別的環境，而這環境又促使我主動的努力。經過哈佛一年的訓練，英文已成爲我的主語，我以英文思

想，也最能以英文表達。一直到我來台灣工作，才又有必要把主語移轉爲中文。但是我來台灣時已逾中年，主語移轉的過程也就更難。雖然小時的根基尚在，但還是經過好幾年的努力，最近幾年才又開始以中文思想，以中文自然表達。要自由使用一種文字，須持續不斷的努力；甚至今天親筆寫此書，目的之一也是在鍛鍊自己的中文能力。

除了語文上的大進步外，哈佛也消滅了我與美國人之間的距離。這一年中，我只有美國朋友；到哈佛時，我是一個畏怯的外國青年，視美國人爲異族，更怯於與他們結交，深怕講錯話，也深怕被歧視。一年以後，我已很自然的和他們相處，可以說沒有什麼種族、國籍的隔閡了。

哈佛學生才華洋溢

哈佛同學的優秀和多元化，是我在短短一年中消除和美國人做朋友的障礙的主要原因。如果當年我是去一個普通美國大學，我相信大一學生的興趣大部份侷限於運動和社交上。哈佛學生卻有許多不同興趣，我的室友之中有對音樂有修養

而且預備學音樂的同學，可以和我一起去聽交響樂、觀歌劇；有學建築或藝術的同學，和我一起逛波士頓的博物館；有學政治的同學，常常找我討論今後中共的趨勢；有學物理的高材生，可以指點我物理、數學上的疑難；我的室友辛克萊帶我去看籃球和冰上曲棍球賽，還告訴我交女友的習俗；更有我的好友柏曼，和我的興趣一樣廣泛，可以和我談天說地，並且是我的文學嚮導。我到美國的第一年就有這樣的風雲際會，實在是很幸運的。第二年到麻省理工學院後，就發現學生特質與哈佛很不同，麻省理工學院的學生更用功，但較拘謹，很少予人才華橫溢的感覺，而且興趣較狹窄。較諸哈佛，麻省理工實在是一個相當乏味的學校。

在哈佛過了興奮、刺激但又有紀律的一年。除了有一個週末乘火車去紐約州訪友外，我都住在宿舍裡，也在學校包飯。包飯每週供應六天，星期日就自己料理。記得那時的膳食費攤下來每天二美元，吃得很好。在那個時代，大家還沒有膽固醇、脂肪等顧慮，所以雞蛋、牛奶、黃油、牛排都被認爲是健康的食物。我們就在哈佛園裡面的飯廳用餐，自己領了食物後圍在一條條長桌旁邊，輕鬆的談笑用餐。飯廳的秩序井井有條，晚餐還必須穿上裝、打領帶。

每天白天的時間幾乎完全花在上課、讀書。白天宿舍很安靜，可以在房間讀書，晚餐後宿舍開始熱鬧，要讀書最好去圖書館；如果回宿舍就有各式各樣不同的聊天和討論，課外活動也大多在晚餐後進行。我買了波士頓交響樂團的季票，每週有一個晚上可以聆聽這舉世聞名的樂隊。波士頓是美國的文化城，很多著名的音樂家常到此表演。在那一年中，我去聽了不少演出：鋼琴家魯賓斯坦和霍洛維茲、小提琴家海飛茲、男高音納爾遜愛迪，這些都是我在上海就聽過唱片的音樂家，現在可以在現場聽他們表演。除了音樂，我也去欣賞芭蕾舞與戲劇。戲劇中最令我感到扣人心弦的是「推銷員之死」，看了後好幾天不能忘懷主角悲慘的命運，以及造成這悲慘命運的社會環境。我也非常欣賞蕭伯納的「人與超人」，我去看的那一場演出沒有布景，只有四個名演員穿了大禮服在台上讀台詞，但是極賣座，演出時，可容納幾千人的戲院都擠滿了。我事先讀劇本，以便可以充份欣賞演員的演技與戲劇氣氛。蕭翁的不朽劇本被這幾位演員發揮得淋漓盡致。他們唸詞清晰無比，有時慷慨激昂，有時相互竊竊私語；無論個人技巧、或互相配合，都是極精采的上乘之作，留給我的印象至今猶在。

開啓智慧與心靈生活

演講會、辯論會也常有機會參加。那時中共剛占領大陸，「中國問題」是很熱門的話題，也常是演講會和辯論會的主題。演講會主講者包括學校教授、外來學者或政治人物。美國國會議員每以被哈佛學生團體邀請爲榮，常應邀來演說。辯論會大體由政治系教授主持，而以學生爲辯論者。學生辯論雖偶有稚氣，但一般水準很高。

有了這麼豐盛的智慧和心靈生活，實在沒有時間講求體育。但是哈佛規定：大一學生必須有一項運動專長，而且必須在學年結束前通過游泳考試，所以不會游泳的人都選擇游泳爲他們的運動，我也是其中之一。每星期六，我去游泳池報到，學習游泳一小時。許多同學都很快地學會，通過了游泳考試，接著選擇另一項他們更喜歡的運動。但是拙於運動的我，游泳竟是那麼難！我每星期去練習一小時，游泳班的人愈來愈少，教練也愈來愈不耐煩。到我終於通過一百公尺游泳考試時，教練如釋重負，誠摯地恭喜我。我及格後，游泳班只剩下一位同學，當

我對哈佛游泳池做最後一瞥時，只見他手舞足蹈地在水中掙扎。

一年在興奮又忙碌地探索新奇中很快地過去。學年終，我的物理、數學和英文得A，化學和人文學得B。那時學校給分完全採競爭制，每班一〇%的學生得A，二五%得B，五〇%得C，其餘得D或E；所以我的三A二B把我放在全年級的前一〇%內。

正如文豪海明威形容巴黎爲「可帶走的盛宴」，我也如此形容哈佛一年。自此以後，我歷經麻省理工、就業、入史丹福攻博士、在德州儀器公司工作各個階段，但是無論我到何處、做何事，我隨身帶著這個「盛宴」，也隨時享受了這「盛宴」給予我的知識、興趣和體會。甚至幾十年後來台灣，即使時地的變遷令人有恍如他世之感，但是這個「盛宴」仍不失其新鮮，我彷彿仍置身於豐富多變、精緻迷人的氣氛中。

為將來謀生打算

正當我享受「盛宴」的這一年，大陸易色。一九四九年十月廣州、廈門失

守，十一月重慶失陷，十二月成都易手，國府於十二月遷台灣，中華人民共和國在十月一日成立。那時許多人覺得香港也岌岌可危，大局的發展，使得我離開香港時還緊緊抓著不肯放棄的一線回國希望也愈來愈渺茫，父親「學工程才有前途」的讖語也愈來愈有力。三叔知道我的興趣廣泛，以哈佛作爲我摸索的緩衝期，現在一年已過，我仍未增加對工程的興趣，但應該爲自己將來的謀生方式打算了。在美國有志工程的青年眼裡，麻省理工是多數人的第一志願。所以我在哈佛的第二學期就申請轉學到麻省理工二年級。讀什麼工程呢？老實說，我對工程各系的内涵都不大清楚。常識中覺得工程是關於機器的，那麼機械工程的涵蓋一定最廣，所以就想讀機械系。三叔當然懂得比我多得多，但是在教育方面，他是一個「自由派」，贊成青年人自主選擇學習領域，所以當我問他是否應讀機械系時，他只說：「很好。」於是我就申請機械系，不久就被麻省理工學院錄取了。

在離開哈佛前，還有一個可懷念的暑期。我在哈佛暑期學校裡選讀了一門俄文，還旁聽了「一八一五年後歐洲史」。暑期學校的氣氛較正常學期輕鬆，同學多來自別的學校，大家的課程負擔也比平時少，可以有較多的時間進行課外活

動。那年暑期，哈佛來了好幾個中國學生，我已一整年沒有中國朋友，甚至看到的中國面孔都很少，現在遇到中國同學，當然覺得格外親切。中國同學中有一位是鄒至莊，他在康乃爾大學經濟系已讀完三年級，我們認識幾星期後，就成為好朋友。三個月的暑期中，幾乎每天見面，談古今、論中外，有時還與女同學「雙約會」。波士頓的夏天並不太熱，黃昏氣候尤其宜人，「哈佛園」棕樹下，或查理士河畔更是散步聊天的好地方；如有女同學參加，當然更為增色。三個月的時間，就在愉快的心情中很快過去。

父母親也在一九五〇年夏天因擔心香港也會被中共占領而赴美，這是他們生平第一次出國。雖然國憂家難使得他們心情非常沈重，但是我們一家又得團聚，而且新鮮的美國環境也為他們在美國的第一年帶來不少歡愉。他們在紐約、波士頓、華府等地訪友，也遊玩了不少美國東部的名勝。

轉入MIT

一九五〇年九月，我向麻省理工學院報到，成為機械系二年級學生。

麻省理工自一八六一年成立以後，即被公認爲美國的理工第一學府。隨著二十世紀以來國家科技實力愈來愈成爲整體國力的表徵，麻省理工的聲望也愈來愈高。第二次世界大戰時，麻省理工的教授及研究人員對美國的軍事科技有很大的貢獻；歷任校長又常是美國總統正式或非正式的科技顧問。大戰後的十幾年，可說是麻省理工登峯造極的時代，她在科技學術上的廣度及深度，沒有一個別的學府可以與其比擬。今日的麻省理工雖然仍是一個非常傑出的學府，但幾十年時光已產生了好幾個競爭者，今日的麻省理工已無當年唯我獨尊的氣勢。

我做二年級新生時，麻省理工全校學生七、八千人，研究生及大學生約各占一半，外國學生約爲全校的一〇%。名義上男女同校，但實際上女生僅幾十位，占學生比例一%左右。現在的學生總數以及研究生比例都仍與四十幾年前相似，但外國學生已是總數的三〇%強，女生也占總數的三一%。

進入麻省理工後，我立志在工程上用功。哈佛一年，我如海綿似地吸取了一切我有能力吸收的西洋文化，養成了對西洋著作、藝術、文化的喜愛，結交了許多美國朋友，而且覺得自己是美國社會的一部份，這些都是很大的收穫。但在工

程專業方面卻沒有相等的進步。現在我已是工程科系的大二學生，將來預備以工程謀生，對工程下工夫的時間已經到了。

孜孜不倦於專修領域

麻省理工學生的課程負擔較哈佛學生爲重。哈佛的平均負擔是四門功課，麻省理工卻是五至六門。根據學校的建議，學生每門功課每週應上課三小時、自修六小時，所以每週花在功課上的時間應該是五十小時左右，而不少同學的讀書時間都超出五十小時。

一般說來，麻省理工的學生比哈佛用功，而他們的興趣也比較專注於專攻領域。剛入麻省理工時，我覺得和同學談話相當乏味，但很快地發現許多同學不但聰明，而且飲食睡覺都忘不了工程問題。這種氣氛對我決心用功工程的新志願有莫大的幫助。我逐漸結識了幾位用功的好友，我們彼此激勵、互相討論質疑。我認真學習工程，實自十九歲進入麻省理工才開始。

大二我選了六門課，其中有二門課是學校規定的「通識教育」：歷史和經濟

學。但不像在哈佛時我把大部份精力用在理工以外，此時我已把大部份精力移注在機械工程上。大三、大四所有功課都是機械系的專課。

當時麻省理工的機械系教授羣中不乏大師級人物。應用力學有鄧哈圖，流體力學有莎比羅，熱學有基能及凱，材料學有歐羅文及蕭。幾個月前柏克來加州大學的一位副校長來拜訪我，他比我年輕幾歲，也是機械系出身，但不是麻省理工。當他發現我一九五〇至一九五五期間在麻省理工讀機械系時，我們不禁懷起舊來。他說那時他非常羨慕麻省理工的師資及學術水準，他也同意一九五〇年代不愧爲麻省理工機械系的黃金時代。

當時我「身在山中不知山」，並不知道自己處身於一個黃金時代，但對大師級教授卻有深刻的印象。在大師們眼裡，大學部、甚至碩士班的教材內容與程度都相當基本，但是他們都有「深入淺出」的能力，使學生很容易了解。這種「深入淺出」的能力似乎只有對題目徹底了解的人才能具備，此後我在不同領域中不斷地找到此一現象的佐證。大師級教授處理發問的態度也令我深刻印象。美國學生很喜歡發問，問題的程度則參差不齊，有的問題很幼稚，但有的也相當深奧。

大師級教授從不輕視任何問題。簡單的問題他們固然很快地回答。對比較難的問題，他們也好整以暇，一面想、一面說，一面又在黑板上寫出所想的階段結論。這樣幾分鐘後，我們認爲很難的問題他也解出來了。如果當時沒有完全想出來，他會說：「讓我回去再想想，下堂再告訴你們。」而他下堂課時也從來不爽約。大師究竟是大師，似乎從來難不倒的；愈是難的問題，愈是他表現思考方法的機會，聰明的學生也會自其中學到解決問題的方式，並在「言教」與「身教」的雙重教育下學習成長。

感受經濟壓力

大二以後，我感受了較大的經濟壓力。我去美國前，母親就告訴我只有第一年所需可以全部由父親負擔，以後就希望我有獎學金，或半工半讀。我在麻省理工是有獎學金，但麻省理工和哈佛一樣，也是私立大學，學費和生活費很高，我必須找工作補貼。打字是我小學時就學會的，那時日軍剛占領香港，有半年我不能上學住在家中，父親就叫我學打字：「至少學會一些謀生技能」，想不到現在

用到了。雖不能以此謀生，但可以此補貼些生活費用。在「文字處理機」尚未發明以前，很容易找打字工作，只要在學校布告板上貼一個廣告，就有人來找你。但那時的打字工作也遠比現在辛苦。做副本要用碳質複寫紙，如有錯誤要改，真是大費周章。記得那時每頁（連兩份副本）收費二毛五分，大約需二十分鐘到半小時才能打完。也就是說，兩小時打字所得可以吃一頓飯。

除了獎學金和打字外，自大三起，我開始替教授作計算工作。那時基能教授和凱教授正預備出新版的「熱力表」，那是一百多頁密密麻麻的數字，每個數字都要算出來。我就是每天敲機械計算機，算這些數字的學生之一。計算工作的薪水每小時九毛，較打字略優。起初，我以爲替教授做計算是技術工作，應該對功課有幫助，後來發現這是非常單調重複的工作。失望之餘，我不敢找我的「老闆」凱教授，但去找在三叔家見過幾面的一位中國教授。找他的動機，老實說也不過是一個年輕缺乏經驗的人，需要些鼓勵慰藉罷了。想不到他聽了我的事後，冷笑了一聲，說：「學術界有兩類工作。一類是需要思想的，另一類是枯燥、單調、重複性的。你既沒有資格做第一類，就只能做第二類。」我並沒有得到所期

望的慰藉，但卻得到了「社會是冷酷的，自己要爭氣」的教訓。也許這教訓比原來所期望的安慰更有用。

計算工作做了半年，「熱力表」完成了，凱教授大爲高興，就讓我幫他的一位博士生做實驗，我的待遇也自每小時九毛調整至每小時九毛五。這樣又做了半年，我已是大四生，並請到一個「研究助理」的空缺。「研究助理」是學校的正式職位，我的名字也被列在學校的教職員目錄表裡，薪水自每小時一元一毛起。當我離開麻省理工時，我的薪水已被加到一元二毛五，一小時的工作幾乎夠點中國城中等餐館的一道「蝦仁炒蛋」。

經濟壓力使我省吃儉用。我在哈佛時吃住都在學校，到了麻省理工，爲了省錢，就在麻省大道（注：麻省大道是麻省理工學院前的通衢）離學校不遠的樓房裡租了一間便宜的房間。甚至有幾個月時期，和同樓裡的幾個中國學生一起輪流燒飯。這樣不到半年，我就懊悔沒有住宿舍。我懷念在哈佛時與舍友討論切磋的機會，也懷念因同舍建立的友情。而此時，我的生活因住在校外而失去了紀律，我也厭惡廉價樓房的骯髒和自理膳食的不定性。所以，不到一年，就決定搬回學

校宿舍。以後一直到我結婚，都住在學校宿舍。

打消轉系念頭

經濟壓力更使我想儘快畢業。我在國內時雖搬遷了好幾個城市，換了好幾個學校，但學業一直都能趕上，所以十七歲就高中畢業。到美國前輟學一年，入大一時已十八歲，但仍想在二十一歲畢業。所以入麻省理工後，我每學期都承擔學校所允許的最大課業負擔，每個暑期也都入暑期班，更在暑期班中選讀學校許可的最多學分。這樣的趕畢業，使我把大二到大四的三年功課，在二年加一個夏天的時間內讀完。事後看來，這是一個大失策。正常學年中，如果功課負擔太重，有些功課就不免「囫圇吞棗」。暑期學校的問題更爲嚴重，因爲暑校學期較正常學期爲短，一旦功課落後，就很難趕上。這在暑期排課時程就可看出。正常學期內，每週一、三、五講授，兩天之中有一整天時間可以做功課。萬一落後，一星期的落後的程度不會超過二、三課，還可以用週末補救。暑期學校卻每天講授，每天都要做功課。如果落後，下一堂的講授就不大能了解。如果落後一週，即使

盡整個週末之力也很難追上。

何況，學習生活需要調劑。我在哈佛的一年後，充份享受了那年暑假給予我的調劑。到了麻省理工，爲了趕畢業，自己選擇了一年到頭喘不過氣來的課程，結果是學習、生活品質都受到損害。此所以爲大失策也！我在麻省理工五年，在哈佛只一年，但對麻省理工的感情，卻不及對哈佛的感情。自己的錯誤選擇也是一個大原因。

無可否認的，麻省理工給予我找職業的本錢。對機械工程，我從「陌生」、「不知道」，到「爲將來謀生而讀」、「有些問題也蠻有意思」，但就此而止。我始終沒有培養起一股熱情，一股要做專家就必須擁有的熱情。這與我在中學時對中國文學、在哈佛時對西洋文學，以及後來對半導體的感覺截然兩樣。雖然如此，我在麻省理工仍保持了不錯的成績水準，大二時與在哈佛時一樣，是全班的前一〇%。後來因爲趕得太快使成績稍有退步。在領學士學位時，已降到畢業班的前三分之一。後來碩士班稍有進步，已是班上的前四分之一。

在大四時，我曾有轉到物理系或電機系的念頭。所有我所讀過的理工課內，

我比較喜歡物理和數學。這兩門科學當然是物理系必修的，電機系也修得比機械系多。但我發現如果轉系，至少要把畢業延遲一年、甚至兩年。在儘快畢業的前提上，也就打消了這個念頭。

博士落榜，深受打擊

我於一九五二年九月獲機械系學士學位，次年九月獲碩士學位。獲碩士前的三個月還有一件大事：我結婚了。妻也是從上海來的中國學生，我與她在結婚前已交往兩年了。

當時在美國的中國學生多半都讀到最後一個學位，也就是博士學位。這是環境使然。當時中國人在美國找一份好職業不容易。政治界不用說了，沒有中國人問津；金融、法律、管理、行銷都被認爲很難打進去。只有科技教學或研究才是中國人可以找到好工作的職業。而科技教學或研究又最重學位，難怪中國學生要讀到博士方肯罷休。當然也有例外，我有幾位中國同學在香港有家族企業，他們就在學士或碩士學成後回香港在家族企業裡做事，但是這些是極少數的例外。我

的想法也和一般中國留學生一樣！一直讀到博士。讀博士除需要好的成績外，還需要通過資格考試。資格考試每年舉行一次，錄取率四〇%左右。一次不錄取，可以在次年考第二次。但如兩次不成，就不能再考了。我的大學和碩士成績合格，剩下的就是資格考試。

一九五三年九月碩士畢業後，我於次年二月參加博士資格考試，結果竟落第了！但我並不認爲這一次失敗是一個很大的挫折，還是繼續實行我的博士計畫。一九五四年選讀博士學位必要的課程，而且花了很多時間與好幾位教授討論可能的博士論文題目。後來選擇了「自動控制」這一領域，因爲這領域用到數學較多，比較接近我的興趣。我也繼續當研究助理。更重要的是，我用功溫習過去所學，希望下次資格考試能成功。

一九五五年二月，我充滿了信心，第二次參加博士資格考試。幾天後成績揭曉，我又是榜上無名！

這是我有生以來最大打擊。站在榜前，呆呆地望著沒有我名字的榜，自尊心、自信心在倏忽中消滅。十幾年的讀書生涯戛然中斷，下一步做什麼事都還沒

有想到，我何以對父母？對我新婚不久的妻？

許多年後，我把在麻省理工博士落第視爲我一生的最大幸運！假使我通過考試，我一定會繼續讀博士，幾年以後，也一定會讀成。那以後做什麼呢？最可能就是去工業界做研究工作，或者留學校作教授，總之這會是一條學術、研究的路。以我對工程的平平興趣，我相信這條路不會走得太遠。我也絕對不會進入半導體界，因爲那時半導體界根本不雇用機械博士。我相信我也不會進入企業管理，因爲這也不是博士常走的路。我的人生會完全兩樣，恐怕也不會在這裡寫《張忠謀自傳》了。

昂首走自己的路

可是，這是許多年後的想法。當時的打擊，使我好幾天都不能正常飲食睡覺。一星期後，我才開始堅強起來，我開始思考我的前途。其實我只有兩個選擇，一是轉學校讀博士，這並不難，以當時麻省理工的地位、水準，我到任何別的學校都有相當好的機會，但是我很快的否決了這條路。既然我對機械工程的興

趣只是平平，爲什麼又要堅持讀博士呢？雖然中國人認爲在美國的出路只在教學、研究，又有誰說我不能做一個先鋒，開闢出另一條路？否決了轉校讀博士後，剩下的選擇，對我來說唯一的選擇就是：找工作。

自幼就開始的學生生活至此告一段落。離開麻省理工時，我絕未想到六年以後，我會重拾書本，在十分風光的情形下，在美洲的另一邊重圓我的博士夢。我以感傷心情揮別麻省理工。這座雄踞查理士河畔，石灰石砌成的莊嚴學府！我對她雖有十分敬，但只有五分愛！在她的教室、實驗室、圖書館、宿舍裡，我投入了五年的青年時光。她給予我就業的本錢，但當我要求她所能給予的最高學位時，她把手縮回去，她不再理我了。

讓她保留她的博士學位，她的書本，她的實驗室罷。我有很長的人生路程要走，讓我昂起頭來，開始走這條路。

沒有博士學位，一個陽春工程師，五十年代在美國的中國人，我要開闢出一片我自己的天地。

注：此詩作者為Emma Lazarus，美國女作家，原詩如下：

"Keep ancient lands, your storied pomp!" cried she,
With silent lips. "Give me your tired, your poor,
Your huddled masses yearning to breathe free,
The wretched refuse of your teeming shore.
Send these, the homeless, tempest-tost to me.
I lift my lamp beside the golden door!"

進入半導體業

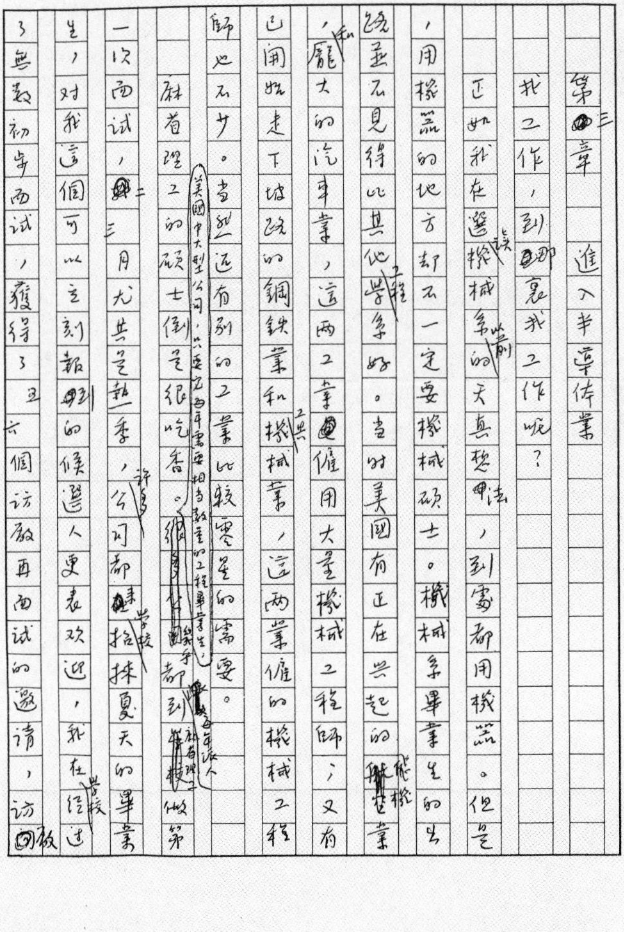
第三章
進入半導体業
找工作，到哪裏找工作呢？
正如我在選讀機械系以前的天真想法，到處都用機器。但是
，用機器的地方卻不一定要機械碩士。機械系畢業生的出
路並不見得比其他工程系好。當時美國有正在興起的飛機業
、和龐大的汽車業，這兩工業雇用大量機械工程師，又有
正開始走下坡路的鋼鐵業和工具機械業，這兩業雇的機械工程
師也不少。當然還有別的工業比較零星的需要。美國中大型公司，只要每年需要相當數量的工程畢業生，每年派人到
麻省理工的碩士倒是很吃香。很多公司都到學校做第
一次面試，二三月尤其是熱季，許多公司都來學校搶抹夏天的畢業
生，對我這個可以立刻報到的候選人更表欢迎，我在經過學校
了無數初步面試，獲得了五六個訪廠再面試的邀請，訪
回敘

我開始自修半導體，我的課本是夏克雷的經典作《半導體之電子與洞》，對一個初學者，這是一本相當艱深的課本。我一字、一句、一段慢慢地讀，讀了又想，想了又讀，兩個月後，竟已讀懂了全書最重要的部份。

找工作，到哪裡找工作呢？

正如我在選讀機械系以前的天真想法，到處都用機器。但是，用機器的地方卻不一定要機械碩士，機械系畢業生的出路並不見得比其他工程學系好。當時美國正在興起的飛機業和龐大的汽車製造業，雇用大量機械工程師；已開始走下坡的鋼鐵業和工具機械業雇用的機械工程師也不少。

麻省理工的碩士倒是很吃香。美國中大型公司若需要相當數量的工程畢業生，幾乎每年都派人到麻省理工做第一次面試，二、三月尤其是熱季，許多公司都來學校招收即將在夏季畢業的學生，對我這個可以立刻報到的候選人更表歡迎。我在學校經過了無數初步面試，獲得了五、六個訪廠再面試的邀請，訪廠面試後，便在家等消息。博士落第後兩個月內，我已接到了四家公司的邀聘函。

四家公司邀聘

四家中，有一家是相當聞名的工具機廠。我去面試時，面試我的主管是該公司的副總裁，也是一位我已久聞其名、著作等身的學者。我們談得很投機，我回

家後抱著很大希望。邀聘書倒是來了，可惜月薪實在太低（記得是三百八十幾元），與別公司比較，我只好無奈地放棄了。

另一家是名爲「金屬與控制」的中型公司。面試我的主管就是該公司的總裁，他早年自歐洲移民到美國，英文還帶一點中歐口音，他很懂這一行，也很風趣，但看起來似乎是一個獨裁者，所以我對他的公司持有相當保留的態度。他的邀聘書也來了，月薪四百二十元，也低於其他兩家不少，所以我也不想接受。很巧地，「金屬與控制」公司數年後被德州儀器公司購併。

第三家是鼎鼎大名的「福特汽車公司」。以營收規模言，福特當年的全球排名應在十名之內。員工數十萬人，基地在底特律市，但分廠、分公司遍布全球。我面試的單位是總公司的研究發展部門，就在底特律市。面試我的主管只是一個經理，但手下也有數十名工程師。福特給我的月薪是四百七十九元。

第四家是一家我已聞其名的公司，要用我的單位卻正在開闢一個我毫無所知的行業。這家公司是「希凡尼亞」（Sylvania），以電燈泡、電視機、收音機、真空管出名；他們要開闢的行業是以半導體爲材料的電晶體。我在機械系課程曾

聽到過「半導體」，除名字外，一無所知。至於「電晶體」則連名字都未聽過。那麼怎會去希凡尼亞求職呢?完全是爲了三叔偶然的一句話。在我博士落第、徬徨無所適從的時期，有一天去三叔家，三叔忽然說：「前幾天一位中國朋友來看我，說他最近加入了希凡尼亞，在做電晶體，他說那裡面有好幾個中國人。你不妨也去試試。」於是我打電話到希凡尼亞，過了幾天就去面試。面試的主管是半導體實驗室的主任，一位微胖的中年美國人，很有威嚴，也似乎很懂半導體（後來我才知道那時懂半導體的人少如鳳毛麟角，而這位主任並非其中之一）。他對我說，他的任務是要把「實驗室」變成大工廠，在這過程中，製程一定要自動化。而我是機械系碩士，又攻讀過「自動控制」，可能對自動化有些幫助。就這樣一席談，既沒有引起我多少興趣，也沒有激起我多少希望。然而，出乎意料的，邀聘書竟來了，而且月薪還比福特高一元：四百八十元。

「講價」弄巧成拙

現在要在福特和希凡尼亞兩家之間做選擇了。無論從哪一個角度看，似乎都

應該選擇福特。最重要的理由是，以我機械系的背景，對福特的工作最有把握，對希凡尼亞主任所說的虛無縹緲的「自動化」工作則毫無把握。其次，我在面試時看到福特研發部門井井有條，與我未來主管的談話也很融洽；希凡尼亞則給我混亂的感覺，實驗室主任也顯得冷漠。再一點，福特是規模極大的公司，以當時的眼光看來，是一個很大的吸引磁石。一般的想法都認爲在大公司的工作比較有保障。至於大公司可能僵硬化、官僚化，以及在小公司升遷比在大公司容易等觀點，都是後來幾十年才出現的。在一九五〇年代，大部份人如要找職業，都偏向大公司。

當然福特也有缺點：工作在底特律，離紐約飛行時間二小時（當時只有螺旋槳機可坐），父母親不很喜歡獨子住得那麼遠，但當時他們都是健壯的中年人，所以也並不強烈反對。

與父母親、三叔、及妻考量了幾天後，我幾乎決定去福特了。只是我有點不大服氣福特與希凡尼亞月薪一元的差異，而且認爲可以從福特獲得較高的月薪。就憑了一時的勇氣，我打電話到福特，預備和他們「講價」。第一個電話是「對

方付款」，我頗具信心地對祕書報了我自己的名字，但祕書請示後回來說福特的規定不接受「對方付款」電話。我還不氣餒，決定自費（應該說父母費用，因為這電話是在父母家打的）再打。接通後，我恭敬地說，我很想來福特，但「另一家公司」的月薪比福特高，可不可以請他們考慮提高我的起薪？電話線上的人事經理，是面試我的同一個人，但現在的神氣與在面試時的談笑風生很不相同。他很冷漠，也很不客氣：「我們不講價還價。公司已決定聘雇你的月薪。你要來就來。不要，就請便。」

自己這樣「弄巧成拙」，如果是現在的我，也許一笑置之，認了，也就一聲不問，還是去福特。但年少氣盛的我卻惱羞成怒了。惱羞成怒之餘開始「反向思考」。我對福特的工作有把握，但是難道我不肯冒險去希凡尼亞做我沒把握的事嗎？我自以爲與福特的主管很融洽，但只看人事經理的冷漠，匆匆一面的印象又是多麼不可靠！我認爲福特規模大，職業有保障，但半導體發展可能很快，也許會給我更多成長機會。這樣羞辱猶新時反覆地想了幾天，居然產生了幾天前不可能達到的結論：去希凡尼亞！

人生的轉捩點，有時竟是這麼不可預期！短短的一通電話，加上一時衝動的青年感情，竟為我和半導體結了一生的緣！

福特的事，還有一段「後話」。二十年後，我已是德儀公司集團副總裁，主管全球半導體業務，有一位福特高級主管自福特退休，應聘為德儀董事。照德儀的規矩，每一個新董事都要經過一段受訓期，由德儀高階經理人陪同參觀公司主要設施，並聽取簡報。我與這位新董事形影不離地相處了好幾天。有一天晚上酒酣飯飽，我說起這段福特往事，他竟很激動的把雙手放在我的肩上說：「Morris,你真幸運，如果你那時去福特，恐怕現在還爛在福特的研發部裡。」

進入半導體業！

一九五五年五月，波士頓正是氣候宜人的仲春，我開始在希凡尼亞半導體實驗室上班。

半導體的特性恰如其名：它的導電性介於導體（如金屬）及絕緣體（如木石）之間。半導體還有一個特性：它的導電性可以隨著加進去的「不純質」而改

變。科學家知道半導體存在已有多年，但不知道怎麼用它。一直到一九四八年，貝爾實驗室的科學家利用半導體的特性，構成了電晶體，一切都改變了。電晶體的應用立即而明顯，它比當時已很重要的真空管小得多、輕得多、能源消耗低得多，很快的就會淘汰真空管。而且，因爲電晶體小、輕、短、省能源，可以做許多真空管不能做的事。例如，作爲電腦、飛彈、衛星等的主要零組件。總之，當電晶體一被發明後，它在實用上的重要性就被科技界公認。在短短幾年中，「半導體」從一個學術名詞變成了一個產業。

那麼，我們爲什麼稱這個產業爲「半導體業」，而不稱它爲「電晶體業」呢？事實上，一九五〇年代的半導體業幾乎等於電晶體業，的確也有人稱它爲電晶體業，但是大部份業者仍稱它爲半導體業。爲什麼呢？科技的樂觀態度使然！大部份業界認爲電晶體不會是半導體唯一的發明，一定還有別的。果然，半導體燈、半導體雷射接踵而來，而更重要的，積體電路在一九五八年發明。到今天，積體電路已占半導體業的八五％。四十年前叱咤風雲的電晶體，只占半導體的五％而已。

今天許多人稱台灣的半導體產業爲積體電路業，他們沒有錯，半導體廠商絕大部份的產品的確是積體電路。但是，對科技的發展，我也是一個無可救藥的樂觀者。我深信半導體奧妙無窮，積體電路只不過是它今天的化身。終有一天，也許幾年、也許幾十年以後，另一個基於半導體的發明會出現。所以，我喜歡這個涵義較廣的名詞：半導體業。

現在回到一九四八年電晶體的發明，再回到我的第一個雇主希凡尼亞公司。電晶體發明的重要性不下於電燈、電話或蒸汽動力。三位發明人：巴丁、布律登、夏克雷也在一九五六年同獲諾貝爾物理獎。貝爾實驗室深知此一發明的重要性，所以在一九五二年開始授權廠商生產電晶體。一九五三年，商製的電晶體問世了。在一九五五年我加入希凡尼亞時，已有二、三十家公司從事半導體業，大約可歸爲兩類。第一類是已在電子業或與電子業有密切關係的大公司。當時最大的電子業是收音機及電視機，但電腦業已呼之欲出。這類公司包括奇異、RCA、IBM、摩托羅拉、希凡尼亞、SPERRY等。第二類是沒沒無聞的小公司，他們想藉電晶體這一個「技術轉捩點」來大展鴻圖；這一類公司爲數不少，

後來最成功的是德州儀器公司。除了這兩類公司，當然還有發明人貝爾實驗室的母公司ATT，但是ATT當時在電晶體方面的意願，只限於使用在電話系統上而已。

所以，我加人半導體業時，這個行業雖只有幾年歷史，卻已處於戰國時代。當然，這些產業動態，在我到了希凡尼亞幾個月後才開始了解，進去時只是一個懵懂的學徒而已。

改良銲接技術

希凡尼亞雇我，是想借用我的機械專長，把生產線自動化。所以，我一進公司，就被調派去鍺電晶體生產線工作。鍺與矽同爲電晶體的原料，鍺因爲可在較低溫處理，所以先被採用。一九五五年時，除德州儀器公司已量產矽電晶體外，大家都用鍺。德儀以小取大的神來之筆，就是在一九五四年率先開發矽電晶體。除德儀外，別的公司在矽電晶體方面都還在試驗階段，希凡尼亞更爲落後，直到我進公司後一年才開始試驗矽電晶體。

我被派去的生產線上約有十幾個作業員，一個領班，我是唯一的工程師。線上半數左右作業員做銲接工作，就是把一條很細的銅絲銲接到電晶體的一個電極上去。作業員在放大鏡下，把銅絲穿入電極（電極是一個很軟的金屬），再用高溫的銲接器觸到電極上，部份鎔化了電極，同時完成了銲接工作。每顆電晶體有兩個要銲接的電極，一個熟練的作業員每小時可以銲接幾十顆電晶體。

我觀察這銲接工作幾天以後，就覺得這不是很好的技術，因爲銲接器的溫度很高，而作業員的經驗、水準不齊，有些新的作業員要把銲接器接觸電極相當久後才完成銲接，銲接器的高溫很可能因此影響電晶體內部的化學結構。

我把麻省理工讀過的《熱之傳導》教科書找出來，做了約略的估算，發現我的疑慮是對的。於是在以後的幾天中，試驗一個間接加溫的辦法：不讓銲接器直接接觸電極，而只讓它接觸銅絲，利用銅絲的高度導熱能力，鎔解部份的電極完成銲接。我的辦法較原來的慢，但擾亂電晶體內部化學的可能性應低於原來，所以最後的良率應較高。在我自己熟練操作我的銲接辦法後，我開始訓練兩位經驗最豐富的作業員。一、二天後，她們用新辦法銲接的速度已達原來辦法的八、九

成。我們累積了幾百顆以新辦法銲接的電晶體，與另一組以原來辦法銲接的電晶體做良率比較。果然，新辦法的良率顯較原來辦法爲高。我的上司過來看了，生產部經理也來看了，而且還坐下來要我教他新的銲接方法。過了幾天，生產線上全部改用我的辦法。

這只是一個小小的成功，對公司的影響也不大，但對剛剛開始做事的我，卻是一個很大的鼓勵。學校外面的世界，並非那麼充滿荊棘。

自修半導體，漸露頭角

同時，我開始自修半導體。我的課本是夏克雷（電晶體發明人之一，諾貝爾獎得主）的經典作：《半導體之電子與洞》。對一個初學者，這是一本相當艱深的課本。六年前剛到美國時初讀荷馬古詩的感覺又再次出現了。所幸我的物理根基不錯，而且六年的大學與碩士訓練至少教了我：學東西要徹底了解。所以，我一字、一句、一段慢慢地讀，讀了又想，想了又讀。盡一晚之力，有時只能讀兩頁；即使遇到較淺顯的地方，也不過讀十幾頁而已。但是兩個月後，竟已讀懂了

全書最重要的部份。

當然，光靠自己絕對不夠，因爲書上經常出現一些話是我讀了又讀，想了又想而仍不懂的。那時就只好問人。問誰呢？那時我在依普維茨鎮上班，依鎮是一個很小的鎮，離波士頓約六、七十英里，驅車來回需三小時以上。住波城對我來說很不方便，但妻還在波城工作，所以我們也不急急在依鎮覓居，頭兩個月我就住在依鎮唯一的旅館裡。同住旅館的有一位在希凡尼亞被公認爲半導體專家的同事，他就是我第一個半導體教師。記得那旅館的房間並不舒服，但卻有一個不錯的餐廳。我的「教師」非常好飲，每晚自下午六時半起，至餐廳打烊十時止，他全消磨在酒上。飲酒之餘，他也會點一道菜，聊盡用餐之意。我的習慣是，每天吃晚餐時和他坐在一起，那時我還不太會喝酒，於是我吃我的晚餐，他喝他的酒，但問他我讀不懂的地方，他倒也很耐心地爲我解釋。他雖喝很多酒，但我從未見他真正醉過，而且他的確是不錯的專家，我大部份的問題他都能回答。每晚我用了餐，問了問題後，就回到房間繼續看書。但有時遇到新問題，仍回到餐廳找他，只要在餐廳打烊之前，他幾乎必在獨酌。

我進希凡尼亞半導體實驗室時，他們已開始量產電晶體，而且在快速擴充生產。幾個月後，公司同時宣布了幾件大事：「半導體實驗室」改名爲「半導體部」，表示半導體已是正式的業務，不再是實驗室內的玩物。爲了充實「半導體部」的管理，公司總部派了大批新主管來管理我們。但這些新主管多來自電視、真空管等部門，幾乎沒有一個人懂半導體。當然，半導體在當時是一個很新的領域，很少人有經驗。但是希凡尼亞儘可選擇一批年紀較輕、科技基礎較好的人過來。但新來的主管卻都是中年以上、科技基礎不甚扎實的人。依鎮實驗室原址不敷使用，所以「半導體部」將設在窩伴鎮新址。這個遷移倒爲大部份員工所歡迎，因爲窩伴鎮就在波城近郊，大家都喜歡住得離波城近一點。我在依鎮旅館住了兩個月，剛遷入新租的公寓，但也高高興興的在哈佛方場〔注：哈佛方場（Harvard Square）是劍橋城的一個熱鬧區，有許多商店、餐廳，也就在「哈佛園」外面。〕附近另找了一個公寓，重返波士頓。

雇用我的主任已另有高就，離開公司。他走以後，很少有人提起生產線自動化。事實上，那時談半導體自動化至少早了十年，因爲製程常常改換，只要看我

在幾星期內把銲接方法改掉就可見一斑。這樣常常變換的製程，又怎能自動化呢？我已不擔心當初受雇的目的不復存在，因爲在幾個月中，我對自己的半導體技術信心與日俱增，甚至覺得在生產工程部門，我所知道的也比別的工程師要多。我的主管——生產工程經理相當器重我，我也漸爲別的部門主管注意。

德儀的創新與發明

公司搬到窩伴鎮後不久，我被調到研究發展部，算是升級。因爲研發部人員的學歷和技術水準較我原歸屬的生產工程部高。況且，我被升爲「科長」，雖暫時只有我一個人，但上司告訴我有預算，可雇四個工程師以及支援人員。我這一科的職責是開發新的鍺電晶體。

當時，半導體公司之間的產品和技術競爭已很激烈。那時市場的主要產品是「合金」鍺電晶體。每家公司都在盡力開發高動力或高頻率的鍺電晶體。有幾家公司發展了「擴散」技術，以此技術製造電晶體，可較「合金」技術達到更高動力或更高頻率。（注：「合金」和「擴散」是兩種不同的電晶體製造技術。「合

金」較粗糙；「擴散」較精細。「擴散」技術問世後，「合金」漸被淘汰。）

同時，矽電晶體也已在我就業前一年問世。矽電晶體的誕生是半導體界一個有趣的故事，在此不妨一提。一九四八年電晶體發明時，科學家們就知道矽比鍺爲更優的電晶體原料。可惜矽需在高溫度下精鍊和處理，那時還鍊不出足夠純度的矽，所以就先用鍺。大公司都有矽研究計畫，但也都認爲障礙仍多，總要數年後才能用矽來做電晶體。

德州儀器公司在那時還是一個極小的公司，向貝爾實驗室申請授權電晶體技術時，相當受到奚落。但總裁海格底是一企圖心極旺盛、又有策略眼光的人物。獲得授權後不久，海格底就從貝爾實驗室挖來一位底爾博士。底爾是電晶體發明團隊內一個相當有貢獻的人物。他離貝爾而去德儀，當時在貝爾人人嘖嘖稱奇。貝爾是全世界最著名的研究機構，德儀則是一個微不足道的小公司。何況，當時德州給人的印象只有牛仔和石油，既無高級水準的文化，更遑論高級科技了。

底爾到了德儀後，專心矽的研究發展。在一九五四年五月的一個半導體學術會議上，有底爾一篇〈矽之最近發展〉論文。這類學術會議不要求作者先送稿，在

論文發表前，大家無從知道底爾要說什麼。同會議中，有好幾篇關於矽發展的論文，底爾之前的一篇論文講矽電晶體發展，作者是一大公司半導體研究主管。他滿有信心地說矽技術進步很快，但要用來製造電晶體，至少還要等二、三年。他講完後，底爾上台，底爾從容不迫地敘述一些實驗結果，台下的聽眾中，仍有不少在打瞌睡。最後，論文讀畢，底爾抬起頭來用他的德州口音徐徐地說：「我們已成功製造矽電晶體，其功能與實驗之預測相符。德儀正在試產中，預計幾個月後，即可量產問世。」

打瞌睡者霍然清醒，會場的氣氛突然緊張。底爾還未說完話，就有幾十隻手舉起來。問者不相信自己的耳朵：「你們真的做出真正的矽電晶體？」底爾有備而來；與其口頭解釋不如實物示範。他一面招呼已在後台等候、提著一桶熱水的同事出來，一面從口袋裡拿出兩具袖珍收音機，其中一具裝著鍺電晶體，另一具裝著矽電晶體。他把兩具收音機都開了，先把裝有鍺電晶體的收音機浸入熱水中，正在奏放的音樂立刻被寂靜替代。再把裝有矽電晶體的收音機浸入，音樂聲不斷。這是一個有力的證明，全體起立熱烈鼓掌。倒楣的是那天排在底爾後面的

論文發表者，他們的聽眾驟然減少。會場外一小堆、一小堆的人激動地在討論底爾的宣布。幾個公共電話亭前排著長龍。只要走過，就可聽見裡面的人在嚷：「他們在德克薩斯做出矽電晶體了！」

重劃半導體版圖

德儀在矽電晶體上的突破，立刻重劃了半導體市場的版圖。在此以前，德儀是一個沒沒無聞的小公司；在此之後，德儀扶搖直上，雄霸半導體界二十餘年。德儀的突破還有更深一層的意義：它爲此後無數小科技公司建立一個典範：以小搏大是可能的！以小搏大有成功的機會！固然德儀之前的企業歷史中也有不少「以小搏大」的成功典例，但那些成功都在長期奮鬥後獲得，而且大多是大公司犯了嚴重錯誤，才給了小公司機會。而德儀面對的大型競爭對手並未犯嚴重錯誤，但德儀短短幾年就超越它們。爲什麼會這樣呢？尋根究柢，科技進步的腳步在二次大戰後明顯地加速，「技術轉捩點」層出不窮。在每一個「技術轉捩點」出現時，大公司不見得比小公司強，小公司與大公司幾乎有均等的機會。幾十年來，

小公司勝過大公司的例子已不計其數。近十餘年來最著名的例子是微軟贏過IBM。但就我所知，德儀建立了最先的典範。

一九五五年底，我轉任研發部科長時，矽電晶體問世已一年餘，德儀幾乎獨占市場。儘管如此，鍺的成本仍較矽低，所以大部份電晶體市場仍爲鍺所有。我的職責就是發展各種頻率、動力的鍺電晶體。

半年多內，我雇用了四位工程師，學士、碩士各兩名。四人中只有一人稍具電子業經驗，其餘三位都是剛出學校的畢業生。除了四位工程師外，其他支援人員如技工、作業員等也在一年內雇齊。

在一九五六、五七兩年中，我們開發了近十種不同的鍺電晶體。我除了指導四位工程師外，也獨立做開發工作。那時，一個工程師在幾個月內就可以開發一顆電晶體。雖然我們科裡的工程師都是新人，我是唯一有半年以上經驗的人，但是新人如果根底好，經過幾個月訓練，也可以開始做開發工作。我們的作業程序大概如是：設計電晶體後自行試製，如試製成績不佳，就重設計或重試製；如試製成績好就少量生產，同時測驗良率和品質。若成品的性能、良率以及品質都達

到或接近預定目標，我們就把這個成果呈報上級主管，以後的事就不容我們置喙了。我們把設計、製程都寫成規格，如果上面決定量產，生產部門就依照我們寫的規格生產。有時量產成績不佳，也會找我或開發這顆電晶體的工程師去詢問，那時我們就要去生產線上幫忙解決問題。

在希凡尼亞時代，可說是我狂熱學習半導體技術的開始。頭幾個月專攻夏克雷《半導體之電子與洞》後，我學習的材料大部份是當時發表的學術論文，或由日常研發工作中獲得。幸運地，我的新上司擁有哈佛博士學位，相當精通電晶體學理，使我受益匪淺。自一九五六年始，我開始參加半導體學術會議，每年至少二、三次。一九五六年十二月，我首次發表半導體論文，在一九五七年又發表了兩篇論文。事後看來，這些論文都不足道，但對於提高我在公司內外的地位，卻相當有幫助。

部門處於虧損狀態

我這一科的經費大約一半來自公司自己的經費，另一半來自美國軍方合約。

那時軍方很需要電晶體，與許多公司訂了研發合約。爲了爭取這些合約，我常有機會去紐澤西州陸軍信號單位，與那裡的半導體技術招標人員洽談。其中一位後來成爲我在德儀公司的同事。印象中，那時軍方合約很少繁文縟節，主要的管理點在成果。如果成果符合預訂規格，經費就如數發給；如果成果不合規格，就扣發部份經費，直至合格爲止。

在希凡尼亞工作是一段很快樂的時光。我和科裡的工程師都只有二十幾歲，我們年輕、勤奮、不倦地爲公司工作，不停地吸收新知識和新經驗。爲了趕工作，我們常在日班後上夜班。爲了寫論文，我們有時徹夜不眠；我們尚未失去青年的天真與熱情。除了在自己崗位努力工作外，我們把公司的前途都寄託在比我們資深、比我們位高、也應該比我們更有智慧的人手中。我們對他們的信賴是絕對的。我們從未想到過問公司的業務狀態，也從不覺得有資格參與公司的策略規畫。公司上層也從未告訴我們公司的整體狀況，更未徵求我們的意見。

可是，希凡尼亞半導體部這幾年卻一直在虧損，而且虧損愈來愈大。營業額也一直打不起來。一九五七年的營業額目標一千萬美元，結果沒有達到。一九五

八年目標仍是一千萬美元，後來還是沒有達到。這個公司有一、二十個博士，幾十個碩士，基層工程部門更有無可估價的青年熱誠，爲什麼成績這麼差呢？基本原因在領導階層。他們都是已經過時的外行人，儘管在別的行業（如家電業）稍有成就，調到半導體部門後卻故步自封。結果等於是盲人過河，既沒有能力自己想出半導體策略，又不能善用下面較他們內行的人才。公司內許多博士、碩士及基層的青年熱誠，都沒有被用在刀口上。在一個成熟的行業裡，犯了這種缺失，也許還有重新開始調整的機會。但半導體業自始就是一個腳步快而又無情的行業。一旦落後，再趕上就很困難。何況，當時希凡尼亞半導體部連徹底改過的決心都沒有。

抗議同事被裁員

半導體部沒有改過決心，總公司卻著急了。一九五八年二月，總公司派了兩位專員（又是外行人）到半導體部「了解」營運狀況。「了解」幾星期後的結果，宣布大幅裁員；原來的總經理、副總經理全部撤職；總經理職由專員之一暫

任。

新總經理立刻個別召見「重要人員」。我與他素未謀面，但也在被召見之列。我自加入希凡尼亞後從未到過總經理辦公室，現在竟有機會進入。這是一間非常寬敞、布置華麗的辦公室，遠比我後來常進的德儀總經理室更華麗，甚至可與今日台灣大公司的總經理室相比。新總經理很和氣，似乎也很誠懇。他一面看桌上的一張名單，一面說了短短幾句話：「我並不認識你，但據我了解，你的成績不錯，所以你不在被裁之列。但是公司有必要裁掉一半左右人員。你的科裡的四位工程師中，某某及某某要裁掉，請你告訴他們。當然，公司會依年資支付遣散費。你的科也就此解散，剩餘人員併到另一科去。你的薪津和職等都不改變，但以後請你以單獨工程師身份爲公司貢獻。」

縱使和氣誠懇，這幾句話字字不中聽。我們這一科連我在內五個年青人、二年的努力工作，最後賺得的是二個人被裁。至於我自己呢?新總經理似乎以爲不裁我已是很大的恩惠。但我雖未去別的公司找工作，卻深信找工作不是問題。我立刻爲被裁的兩位抗議，但太晚了，他早已決定了。

被裁的兩人都是第一次就業。告訴他們這個結果，是我有生以來最艱難的工作，兩場會談都在淚水中結束。兩人最後有一句相同的話：「看來熱誠和努力還是不夠的。」青年的天真在一天內消失，而這失去的天真以後再也找不回來。

希凡尼亞的快樂時光就此結束。當天我就決定另謀他職。半導體已是我生命的一部份，所以我絕不考慮離開半導體業。波城附近有好幾家半導體公司，但最吸引我的卻是遠在德州的德州儀器公司。在此前一年，我在一個學術會議認識了一位德儀的經理。他主持一個電晶體測試標準委員會，邀我爲委員，所以我與他已在委員會同事近一年。我打電話給他，當我說明來意後，他熱誠地說：「啊，再好沒有了，我們一直在找像你這樣的人。你下星期就來看我們。要我們替你代訂機票嗎？……好，你自己訂票，我們還你錢就是了。訂了機票後，告訴我班次和到達時間，我自己來機場接你，我們會替你訂旅館。」

接獲德儀聘書

一星期後我就去德儀面試，我的朋友變成未來的主管。他在面試結束前就口

頭邀聘我。一星期後正式邀聘書也來了。三年來，我在希凡尼亞的月薪已自原來的四百八十元加到六百四十元。德儀的邀聘是六百七十元，我的工作是一條生產線的「工程主管」，下面會有三、四位工程師。

接到德儀的聘書後，我向希凡尼亞辭職。新總經理又要見我，這是我第二次，也是最後一次步入希凡尼亞半導體部總經理室。新總經理以上次同樣誠懇的口吻告訴我，公司如何重視我，希望我留下來。但是這次他太晚了，我已決定了。

這是一九五八年四月。我與妻把家具以及所有笨重用具能賣的賣掉、能送的送掉。這些東西買來時大部份就是舊物，現在我的收入較好，我們要在一個新的地方，開始新的生活。

五月，我們把所剩的輕便衣物塞在汽車行李箱裡和後座上，開始遷移到達拉斯的四天旅程。

後記：在結束這一章前，應該補充一段「後話」。希凡尼亞半導體部此後又

掙扎了十幾年。他們換總經理後，又換總經理，裁員後又添人，添人後又裁員。他們的新產品有時很不錯，但不知怎麼，開發、生產和行銷始終配合不起來。如此十餘年，業務一直沒有起色。終於在一九七一年，總公司（那時希凡尼亞已被通用電話電子公司購併）決定完全放棄半導體業務，辦理最後一次裁員，並出售半導體部一切儀器設備。那時我是德儀公司主管積體電路業務的副總裁，他們函邀我視察儀器設備。我抱著懷舊的心情去了。廠房仍是我工作時的窩伴鎮原來廠房，但我去時，員工已全部遣散，只剩下寥寥幾個處理善後的人員。我走進龐大而空洞的廠房，舉目望見的是有裂痕的牆壁、陳舊的桌椅、過時的設備。每說一句話，就聽到在靜寂中飄盪的回音。整個氣氛使我感到無比的淒涼。我走到從前辦公室的地方，隔間早已被重隔好幾次；重循當年常從辦公室到實驗室的腳步，當年四周是年輕人的笑聲，現在只有如死亡般的寂靜。我站在廠房中間，靜默了許久。陪我的人似乎知道我的思念，久久不出一言。我不認識他，但他知道我曾在此工作過。最後，他微笑問：「是否和你在時差不多？」我驀然驚醒，徐徐地說：「時、景、心情都相差太遠了。」

我們沒有投標。

第四章

初試啼聲
——德州儀器公司

第四章　初试啼声——德州仪器公司

我和妻自波士顿去达拉斯时，正是歌舞昇平，五十年代後期的美國盛世。外交方面，韓战早已结束，美國雖未获全面胜利，但毕竟维護了南韓的领土主權，达到了原来参战的目的；越战尚未開始，美国在軍事上的自信未受侵蚀。内政方面，经济在快速成長，物価平穩，失業率低，人民的真实收入逐年增加。很少人懷疑这代比上代过得好，下一代会更好。黑人民權问題還在醞釀階段，要十年後才爆发。

一九五八年是艾森豪总统连任後的第二年。他最大的政绩之一是建築美国跨州公路。这些跨州公路今日早已四通八达，但在我们去达城时，有许多尚未完成。所以我

當嚴守原有規格而仍未獲得好結果後，
我開始運用在希凡尼亞學到的理論知識和分析辦法變動製程。
終於有一天，當我和領班談話，忽然聽到二十英尺外的測試員大叫……
我猜想必定有好消息，果然那批產品有四〇%合規格，
我的主管關切地問：「你記不記得這批是怎麼辦到的？」

我和妻自波士頓去達拉斯時，正是歌舞昇平、五十年代後期的美國盛世。外交方面，韓戰早已結束，美國雖未獲全面勝利，但畢竟維護了南韓的領土主權，達到了原來參戰的目的；越戰尚未開始，美國在軍事上的自信未受侵蝕。內政方面，經濟快速成長，物價平穩，失業率低，人民的收入逐年增加。很少人懷疑「這一代比上一代過得好，下一代會更好」。黑人民權問題還在醞釀階段，要十年後才爆發。

一九五八年是艾森豪總統連任後的第二年，他最大政績之一是建築美國跨州公路，今日這些跨州公路早已四通八達。但在我們去達拉斯時，有許多尚未完成。當時我們經過的公路大部份只有四線（來回各二線）或二線，而且經常要穿越進出大大小小的城市。我們自波城到紐約，在父母家住了幾天後再由紐約起程，第四天抵達達拉斯。

這是我第二次到德州。第一次是去面試，飛機進，住一夜，飛機出。這次自己開車，比較有時間和心情觀察環境。一望無際的平野，筆直而不見對面來車的公路、公路旁咖啡店、加油站的友善服務、慢吞吞的南方口音。這些是德州給我

的第一印象。雖只是五月，但氣溫已超過三十度，更令長居美國東岸的我印象深刻。

到達拉斯後第二天，我就去德儀報到，自此進入一個新世界——一個與希凡尼亞截然不同的世界。

年輕有活力的公司

德儀是一個多麼年輕的公司！周圍見到的人，看起來似乎都在四十歲以下。我的主管是一位較年長的部門經理，但也不到四十，而其他同階層的主管似乎比他更年輕；半導體部總經理夏伯特才三十六歲。在希凡尼亞，固然也有我這一輩的年輕工程師，但主管階級的年齡大部份都在四十以上。五十幾歲、甚至六十幾歲更不乏其人。

德儀又是一個多麼活力充沛的公司！員工走路的速度似乎也比希凡尼亞快一點，背似乎也挺得直一點。「疲倦」簡直是聽不到的形容詞。那時美國每週標準上班時間是四十小時，但德儀的工作時間至少五十小時，常常有人早上帶一張帆

布床上班，準備晚上睡辦公室。週六上午上班是不成文的規定，而且，除最基層員工外，任何人延長工時也沒有加班費。我也發現，在公司裡，「失敗」從不被接受；「挫折」可了解，甚至同情。但受挫折者必須振奮重來，如再有挫折、再重來，直到成功爲止。我又發現，這是一個話很多的公司，人人都不怕提意見，即使有些意見很幼稚。在我前幾個月的工作中，好幾次生產線的良率突然降低，或未如預期上升，不僅工程師、技工，連作業員都會提建議，而且熱誠地提。他們的建議不一定被採用，但即使多次碰壁，他們仍會繼續不斷地表達意見。

德儀也是一個開放的公司。人人職務不同，工作也兩樣，但在許多地方一概平等。希凡尼亞的總經理和副總經理有特定的車位；德儀卻連董事長都沒有車位，如果他上班來遲了一點，就要將車停在較遠的位置。希凡尼亞的總經理、副總經理幾乎從不到員工餐廳用午餐；即使去，也是他們幾個人坐在一起。德儀的總經理卻幾乎每天到員工餐廳，而且常拿了自助餐走到一張坐著他不認識人的桌旁問：「我可以參加你們嗎？」我初入公司不到一個月就見到了總經理。有一天我在生產線上測試電晶體，旁邊忽然來了一位三十幾歲、身材魁梧的人。我轉頭

看他，覺得似乎見過此人，但不認識。他笑著伸出手來和我握手，並且自我介紹：「嗨，我是馬克．夏伯特」。我這才恍然大悟，原來他就是聞名已久的半導體部總經理。他很輕鬆地邀我在生產線旁的長板凳坐下談話。他知道我的簡歷——麻省理工碩士，後來在希凡尼亞工作三年；他也知道我離開希凡尼亞時，曾獲IBM邀聘，但決定不去IBM而來德儀。他對我的選擇表示欣賞，並說：「我們一直在爭取東部一流學府的畢業生。麻省理工是一流中的一流。況且你又有幾年半導體經驗。現在你放棄比我們大幾十倍公司的邀請，遠道來德州加入我們，真太歡迎了。」接著他問我找到住處沒？（我答：「還沒有。」）習慣德州不？（我答：「還有許多新奇處。」他大笑。）接著他問工作進展，我便講了些技術問題，他竟然很了解。這場談話前後半小時左右，我感到非常溫馨和鼓舞，與我在希凡尼亞的經驗太不同了。我在希凡尼亞三年，與總經理交談的全部時間加起來恐怕還不到半小時，而且都還是在我即將離開希凡尼亞時。這位德儀的總經理所掌管的業務比希凡尼亞總經理要大十倍，竟然在我進公司後不到一個月就與我親切的談話。另外，我注意到當我們在忙碌的生產線上談話時，周圍的人仍各自

忙他們的工作，並沒有特別注意我們。可見在德儀，總經理與基層人員談話是很自然、習慣的事。

員工上下都是內行人

我對德儀的另一個觀察心得是，它的上層人員相當精通半導體技術。通常一個科技公司的基層人員有專門知識，但上層不見得內行。五十年代的德儀卻是上下人員都是內行的半導體公司。夏伯特本人電機系出身，追隨董事長海格底代表德儀與貝爾實驗室談判電晶體授權，在獲得授權後建立德儀半導體部門。從起先小規模的實驗生產，做到我加入公司時，每年已有七千萬美元的業務。在德儀篳路藍縷的時代，他是一個實足的半導體專業人。他深知技術的重要，所以用人時，技術能力是非常重要的條件。他主持下的德儀，研發部門只用半導體專家；生產線工程部門（例如我的部門），技術知識和經驗更是最重要的任用條件。即使是雇用生產線領班時，固然注重應徵者的領導能力，但也堅持應徵者要有理工學位。至於行銷、行政、財務部門人員，雖注重專業資歷，仍優先考慮具有半導

體知識或訓練的人。

總經理注重技術，就有上行下效的效果。許多在工作上已疏遠技術的經理也要趕緊補習。我進公司後一年左右，被調升爲鍺電晶體開發處長（職稱與在希凡尼亞時相同，但工作範圍大的多），也換了一位新主管。新主管認爲屬下經理羣（連我共六、七人）的技術知識亟待改進，要我開補習班。他堅持除出公差外，人人必須參加。而且堅持我每堂課留習題，並且必須在下一堂課前繳卷。這門補習課進行了三個月，每個「學生」（包括我的主管以及與我同階層的業務部門同事）都非常認真。記得一次我有事去找消費者產品部經理，他和行銷部經理兩人正相對皺眉苦思。我進門後尚未出一言，他們兩人就同聲嚷著，無論我有什麼事，先要替他們解決我所交代的習題。記得我第一次交代習題時，不到兩天，主管的答案卷就送回來了，而且全部正確。我相當驚訝，後來才知道他在進德儀前曾在某大學任電機系副教授。

與技術脫節，埋下敗因

現在看來，從五○年代到七○年代德儀在半導體業界有二十幾年的榮景，因素固然不少，但初期最高階層所具備的專業水準確是其中之一。可惜，失敗之因往往種在成功中。當公司漸漸龐大，領導高層的內務、外務逐漸增加，但大半與技術無關。爲了「日理萬機」，自己倒與快速進步的技術脫節了。以夏伯特爲例，五十年代他是半導體行家；六十年代擢升爲主管全公司業務的執行副總，開始與半導體逐漸脫節；到了七十年代，他已成了半導體外行。更可悲的是，他自己還不知道已脫節，仍以爲七十年代的半導體業與二十年前一樣。

由少數傑出的科技公司來看，最高階層持續地學習、自我革新，使得他們不僅跟上技術的進步，甚至主導技術進步。如此，不僅保持住自己的地位，而且使公司持續領先。微軟的蓋茲就是一個例子。二十年前蓋茲白手創辦微軟，那時他已是軟體業的專家。二十年來軟體業、微軟以及蓋茲個人成就的進展速度簡直要以「光速」來衡量。但是，今日蓋茲對軟體業的了解，較二十年前更爲精闢！英

代爾總裁葛洛夫也是一個例子。二十幾年前英代爾初期，多數主管專長半導體製程。二十幾年中，英代爾的業務已徹底變質，從一個傳統的半導體公司變成一個重點在於電腦架構和軟體的微處理器公司。在這個轉型的過程中，葛洛夫以及他領導的高階主管經過不斷的自我革新，也成爲電腦內行人。這兩個例子中，我對英代爾那羣人尤其佩服。因爲微軟目前身處的產業環境雖遠比二十年前進步和複雜，但究竟還是同一行業。而英代爾那羣人卻幾乎換了一個行業。

直接上線工作

現在回到一九五八年德儀，我的新世界。

一九五八年初，也就是我進德儀的半年前，德儀自ＩＢＭ接了一筆大生意。ＩＢＭ設計、開發了四顆鍺電晶體，預備用在下一代電腦上。因爲他們預計電腦會暢銷，所以這四顆電晶體的需求量也很大。ＩＢＭ與幾個當時較大的半導體公司洽商，結果遴選德儀爲獨家供應商。ＩＢＭ已在自己的實驗生產線上少量試製這四顆電晶體。他們預備持續少量生產，作爲與德儀比較的指標，同時把設計及

製程規格移轉給德儀，讓德儀做大量生產。爲此，德儀成立了一個專門部門，我的主管就是這個部門的經理。新部門下設行政、人事、會計、生產、工程等處。工程處又分四科，每科負責一顆電晶體的產製，我是四名科長之一。我管的那一顆電晶體名爲NPN擴散型。據IBM經驗，這是四顆中最難生產的一顆。在IBM的實驗生產線上，他們集中了好幾位最優秀的工程師改善這顆電晶體的良率，但良率一直低而不穩定。我進德儀前，IBM主管就諄諄叮囑夏伯特：四顆電晶體IBM都需要，缺一不可，而最令他擔心的是NPN擴散型。

我進德儀，沒有什麼訓練期，報到那天辦了一些簡單手續，當天就投入工作，已有兩位工程師跟我工作。這兩位工程師都是新進人員，在德儀才工作了幾個月；一位過去有半導體製造經驗，另一位則進了德儀後幾個月內得來的經驗。他們已根據IBM的製程規格，希望如法泡製NPN擴散型電晶體。但是，生產出來的幾乎都是不合規格的廢料。IBM自己的指標生產線的良率低而不穩定，但平均約在五%左右；我們的良率卻是「零而穩定」。「零而穩定」正是我上班第一天兩位工程師向我報告時的用字。困難中仍富有幽默感。

團隊精神令人感動

頭幾個星期，我也遵照了ＩＢＭ移轉給我們的製程辦法，只是更嚴格地遵守每一細節，希望能產出一些合規格的電晶體。偶然可以得到幾個好的，但良率還是太低了，仍幾乎是零。那時，爲了趕時程，生產線已一天開三班。我的線上每班有二十來個作業員，三班總共近七十個作業員、三位領班，但七十幾個人每天都在生產廢料。大家都很有憂患意識，也都把希望寄託在我身上。測試作業員坐在生產線的末端，她是第一個知道新貨符合規格或是廢料的人。每次她測試一批新貨時，常有作業員把眼光投向她。但在頭幾個月的低良率期間，她只能沮喪地搖搖頭以回答同線人員的無言詢問。每班下班時，常有作業員焦急地問我：「我們今天做了幾個好的？」那時作業員每小時只賺一美元（與我四、五年前在麻省理工當研究助理的待遇相彷彿），但他們自視、也確實是團隊的一份子。在德儀的黃金時代，整個公司上下自然而然的充滿這種團隊精神。

這種同患難的團隊精神使我感動，但也帶來無比壓力。作業員外，領班更常

詢問他們有什麼可改進之處?生產處長呂斯每天出現在我們生產線上，特別關心良率的進展。呂斯比我長一歲，麻省理工電機學士，哈佛企管碩士。他很快地成爲我的好同事和好友。那時，我們七十個人每天生產的幾乎都是廢料，但他每星期還要再增加幾個人。我不解，和他爭論。他說，要先雇足作業員，把他們的基本技能訓練好，一旦良率有所突破，我們就會有大量的產品。後來的發展證明他是對的。幾個月後良率突飛猛進，我們已有足夠而且飽受訓練的作業員在生產線上。所以，短短時間內，非但補足了低良率期應繳而未繳的貨，而且也順利地滿足了IBM急遽增加的需求。

在德儀的前半年，根據我鄰居的話，我變成了「瘋狂工作者」。每天早上八時上班，晚上七時回家吃晚飯。晚上八時又回廠看夜班的成績，直到午夜第三班開始後才回家。我屬下的兩位工程師，一位工作時間和我相似，另一位專值第二及第三夜班。沒有人叫我們這樣工作，都是我們自願，而且認爲應該。看看公司裡其他部門，雖然我們這科似乎比別人更賣力，但別人的工作時間也很長。這就是當時的德儀!

「你怎麼辦到的？」

頭幾個星期嚴格遵守原有規格而仍未獲得好結果後，我開始運用在希凡尼亞學到的理論知識和分析辦法，變動製程。漸漸地，我們「有」良率了。漸漸地，我們也可以說，我們的良率「低而不穩定」，並且加一句：「和IBM的指標線一樣」。

終於有一天，我正在和領班談話，忽然聽見二十英尺外的測試員大叫。我和領班立刻趕過去。就在我們趕過去的路上，測試員已站起來手舞足蹈。同線別的作業員也圍聚到測試員身邊。我們猜想必定有好消息。果然，那批產品竟有四〇％合格，測試員興奮得連話都說不出來。幾分鐘後，呂斯滿面笑容跑來，他已聽到好消息。再幾分鐘，我的主管也滿面笑容跑來。他們最關切的問題是：「你記不記得這批是怎麼辦的？」我當然記得。非但記得，而且還記在筆記簿上。

那天全天良率二五％，比以前任何一天高好幾倍。每個人大概都記得人生最喜悅的時刻，那天，是我二十七年的人生中，最喜悅的一天。這是一九五八年九

月，我進德儀四個月後。

那晚我徹夜未眠，一方面是興奮，一方面也畏懼。熟悉半導體的人都知道，半導體良率不是很穩定。有一天達到二五％，不見得以後每天能達到二五％。幸而我們的製程控制相當嚴謹，此後的良率雖有高有低，但一週、一月的平均總在二〇％以上。幾個月後，我們對設計和製程再做改良，良率又提高幾個百分點。一年以後，經過不斷的持續改良，良率很穩定的在三〇％以上。

ＮＰＮ擴散型良率突破以後，ＩＢＭ鬆了口氣，他們的電腦生產因此去除了一個大瓶頸。德儀更皆大歡喜，因爲客戶滿足了，而且當初議價時假設的良率很低（與ＩＢＭ指標線良率接近），現在實際良率高過幾倍，利潤也比預計高幾倍。呂斯的賭博，就是在零良率時配足人馬，也贏了。

良率突破後幾星期，管ＩＢＭ指標生產線的工程師要來德儀參觀。過去當我們有問題時，他們從不來，只有我們去。現在，他們移樽就教。來之前，他們還以爲我們也許只是「瞎貓碰上死老鼠」，嘗試各種辦法而僥倖成功，不見得能把高良率穩定住。事實上，我們是經過理論分析，改動了若干原來的設計和製程，

才有如此的成績。我把思維程序、理論根據以及試驗結果全盤告訴了他們。臨走時，領隊的IBM工程師誠懇地恭喜我們說：「德儀的生產部門也懂理論，使我們放心不少。」

除了NPN擴散型外，另外三顆代IBM製造的電晶體良率均較IBM指標線良率爲低，所以德儀在那三顆上的利潤並不高，但NPN擴散型的成績，爲德儀半導體部門的成績增色不少。一九五八年十二月，夏伯特帶領了十餘位德儀同仁去IBM開檢討會議，我也同去。會中IBM對其餘三顆的成績多多少少有些批評，對NPN擴散型則獎勉有加，使我有受寵若驚之感。會後夏伯特私下對我說：「若沒有你，這個會議會是很黯淡的會議」。我更感惶恐。

一起賭，一起贏

聖誕節前幾天，忽然道森要找我。道森是半導體部門的執行長，夏伯特以下的第二人，也是我主管的上司。我進了他辦公室後，他滿臉笑容說：「你進公司才半年多，已建了大功。我們實在很高興有你。只要用心做，以後前途無可限

量，」停頓了一下，「現在我要給你一個驚喜。這是一張一千元支票，是你的花紅」。

這真是一個意外驚喜。即使在前幾個月已受到不少上司、客戶的稱讚，我從未想到會有花紅。錢是一件事，一千元在那時不能算少（以四十年來生活指數推算，約相當於現在的一萬美元）。但更震撼我的是榮譽，一種被接受、被欣賞的榮譽。我不記得我怎樣回答道森，只記得我的眼眶濕了。

現在，無論美國或台灣的工程師，恐怕已很難了解四十年前，我第一次拿花紅的感激心情。因爲這四十年來，花紅大幅普遍化；非但現金花紅，股票花紅也大幅普遍化。四十年前的美國，絕大部份工程師只能期待薪津。如果考績好，薪津就多加一點。分紅，我們也聽到過，但這是給公司最高層的主管。而且，以現在標準來看，數目很小；大公司的總裁那時每年也只有一、二萬元花紅而已。德儀那時給毛頭小子如我者一千元花紅，實在開風氣之先。

捫心自問，爲什麼我能在德儀「初試啼聲」就能小有成績？在德儀的頭半年，我的所知所能與在希凡尼亞後半期相差無幾；在希凡尼亞，我和科裡的同事

也設計、開發了不少不錯的電晶體，但那些成果到後來都沒沒無聞。爲什麼呢？在希凡尼亞，我沒有一個焦急等著交貨的大客戶，只要我成功生產，他就愁眉大展；我沒有一個已與客戶議定合理價格的主管，只要我突破良率，他就可以大賺錢；我沒有如呂斯般密切配合的生產部門，富有信心，一起賭，一起贏；我沒有一羣熱情而富有團隊精神的作業員，在患難時同舟共濟，在成功時激動得歡呼舞蹈；我更沒有能夠了解問題、欣賞成就的高層主管。這些我在希凡尼亞沒有、而在德儀有的條件，都是因爲德儀與希凡尼亞是兩個本質不同的公司，不同的環境，不同的人物。德儀給了我希凡尼亞從未給我的機會。

但是，但是，一切也不能歸功於機會。負責產製另外三顆電晶體的工程師也有同樣的機會，但他們的表演卻黯然無光。

積體電路的發明

正當我日以繼夜，在ＮＰＮ擴散型生產線上拚命時，一件驚天動地的大事在我眼前默默發生。讓我解釋爲什麼驚天動地的事卻默默發生。簡單得很，「驚天

動地」是後來的影響，「默默發生」是當時的事實。我入德儀不久，結識了一位和我幾乎同時加入的同事，他有一個令人深刻印象的外表，出奇的高（二百多公分）、瘦削，最顯眼的是巨大的頭顱。那時他三十多歲，但看起來似較蒼老。加入德儀前，他在俄亥俄州工作。我們同爲德儀新雇員，同樣來自東部，年齡也差不多，所以就很快熟識了。常常下午五、六點，一天的工作告一段落時，一起喝一杯咖啡聊天。他告訴我他在研發部工作，正想把好幾個電晶體、兩極體，加上電阻，組成一個線路放在同一粒矽晶片上。他又說，德儀總裁海格底對他的研究很有興趣，認爲這是半導體未來發展的方向。那時我在公司裡漸漸有了點懂得電晶體的名聲，所以有時他也問問我的意見。老實說，那時要我做一個電晶體都有困難，把好幾個電晶體再加別的電子原件放在同一粒矽晶片上，還要它們同時起作用，簡直是匪夷所思。但我也極盡所能回答他問我的技術問題。過一陣子後，他告訴我已做出一個粗具規模的線路。我爲他高興，但也不禁想，這玩意兒要有實際應用，還遠得很。

這人是傑克·基比，他的發明就是積體電路。

精明的生意人

幾乎同時，但稍晚一點，遠在舊金山灣區（那時還沒有「矽谷」之稱）快捷公司的諾艾斯也與基比有同樣的夢想，也成功地在一粒矽晶片上組成一條線路。兩人的發明雖不謀而合，過程卻互相獨立。經過若干法律爭執後，兩人同享發明積體電路的功勞。

繼電晶體後，積體電路的發明奠定了以後資訊革命的基礎。基比和諾艾斯也享盡了科技界的榮譽。但他們後來的事業發展途徑很不同。諾艾斯是物理博士，具有深厚理論基礎，但他性格外向，有領導魅力，有生意眼光，是一個企業家兼學者。在進入「快捷」之前，他曾在電晶體發明人、諾貝爾獎得主夏克雷手下擔任研發主任。因與夏克雷意見不合，他領導了八個主要研發幹部投誠快捷公司。夏克雷的公司因此一蹶不振，夏克雷和諾艾斯也成爲不交一語的仇人。諾艾斯在「快捷」相當成功，但寄人籬下，仍有壯志未酬之感。所以十餘年後，他和摩爾（也是當初離夏克雷去快捷的八人之一）又離「快捷」而創辦英代爾。英代爾是

一個空前的成功，諾艾斯和摩爾也成爲鉅富。一九八〇年代後期，諾艾斯事業有成，囊中飽滿，漸漸退出英代爾，轉而致力於產業界的合作以及產、政關係。他與幾個業者共同創辦了SEMATECH，是一個政府和半導體業者共同出資，從事半導體製程研發的組織，諾艾斯是第一任董事長。可惜他接任不久後，因心臟病突發而死，享年僅六十歲。

我說諾艾斯有生意眼光，其實他不但有眼光，還是一個很精明的生意人。一九七三年時，記憶體缺貨（與二十年後一樣），那時英代爾是最大記憶體供應商。德儀電腦部門急需記憶體，電腦部門副總裁打電話給我：「聽說你與諾艾斯是舊識，可否請你求他多配給我們一點。」我打電話給諾艾斯，他似乎很爲難，對我傾訴了好幾分鐘供應商在缺貨時期的苦處，但最後仍答應考慮。我掛了電話，以爲希望很小，也許連答覆都沒有。想不到第二天他就打電話給我，語氣很輕鬆：「啊，Morris，你昨天講的沒問題，我們可以照辦。當然，老朋友應該互相幫忙。」我還來不及謝謝他，他馬上接下去：「但是，矽原料也缺貨。我們很需要矽原料。我知道矽原料部門也歸你掌管。可否請你叫他們多配給我們一

點？」顯然，在一夕之間，他已和幕僚商定如何把這個「人情」變成對他也有利的交換條件。

一分靈感，九分流汗

基比沒有博士學位，理論基礎不如諾艾斯，但對物理、電子基本原理有徹底的了解，他更是我所認識人中最富有想像力和創意者之一，是愛迪生類型的發明家。愛迪生曾說：「發明是一分靈感，九分流汗所成」。基比除了富有靈感外，更有毅力，鍥而不捨地追逐他的發明構想。他性格較內斂，不喜、亦不善管理。他發明積體電路後，曾有一度擔任德儀積體電路部門副總經理職務，但這不是他所長，也不是他所好。他最熱愛的工作就是一件接著一件的發明，他在德儀近二十年，是那段時期中德儀最傑出的發明家。在美國大公司體制下，他這樣的興趣不能致富，因爲發明專利的所有權屬於公司，不屬於發明者。當然，德儀對他犒賞有加，但絕不能與自己擁有專利權的巨大利潤相比。因此，他後來決定離開德儀，自己做發明家，並兼顧問業。

積體電路的發展比我與基比聊天時所想像的要快。經過基比和諾艾斯發明的啓示後，積體電路發展的最大障礙便是製程能力。在各公司激烈競爭下，製程能力的進步一日千里。一九五八年我認為「匪夷所思」的產品，在一九六二年已變成相當可能。一九六三年德儀成立積體電路事業部，開始少量生產。一九六六年底當我接任積體電路事業部總經理時，業務已在每月一百五十萬美元之譜。七〇年代初期，MOS結構被廣泛採用，積體電路成長更快。一九九五年，全球積體電路市場達一千三百億美元，占全部半導體市場八五%。

研發、業務共同體

德儀的組織架構一直以業務單位為基礎。每一業務單位下設工程、生產、行銷等處，自負盈虧。我進入德儀初期就在生產工程上立功後，不久被調升為鍺電晶體研發經理，直接對鍺電晶體總經理負責。鍺電晶體部有四個業務單位，我負責的研發部門為這四個單位服務，同時也是總經理的技術幕僚。我這部門是新設的，開始時只有我一個人，二年後成長到十幾個工程師。

在以業務單位爲主的組織裡做幕僚單位的主管不是一件容易的事。雖然那時德儀團隊精神很好，仍難免有「政治頭痛」。首先，業務部門是賺錢的單位，而研究部門是花錢的單位，而且花的是前者賺來的錢。每次編預算時，就有爭議。即使年預算定了，但如業務有變化，某業務單位盈餘不如計劃，它就會要求減少對研發部門的「資助」。它的理由往往是：「我自己都要省錢了，難道你不替我省？」這種經費爭論常常發生，雖可上訴總經理，但我們儘可能自己解決；總經理的態度也希望我們自己解決。錢之外，決定開發什麼產品以及派誰開發都須協調。每一業務單位對新產品有自己的看法，不一定和我的一樣，而且都要我派最有經驗或最優秀的研究人員做他們的案子。

儘管許多我們開發出來的新產品後來暢銷賺錢，但在業務單位眼裡我們似乎沒有什麼貢獻。他們對總經理或對夏伯特的簡報裡很少提到我們，慶功茶會也很少邀請我們。一九六〇年我又參加了一個「大戰役」。有一個重要產品的生產良率太低，總經理徵調我去提高良率。我帶了幾位同仁同去。這以後幾個月中，我重溫初入公司時在ＮＰＮ擴散型線上的生涯——日以繼夜地分析、試驗、改變，

最後大幅提升良率。這場戰役的勝利對公司的意義不比NPN擴散型的勝利低，但是功勞似乎都被業務單位占去。最令我傷心的是，我功成身退回到研發單位後，有一次在業務單位會議上，我無意地說：「我們的×產品」，該業務單位的生產經理馬上說：「『我們的』？你是什麼時候加入我們這個單位的？」

這些頭痛和苦悶都是我和單位同仁的頭痛和苦悶。對公司來說，把研發和業務緊密結成一個生命共同體是絕對正確而必要的。這是德儀和希凡尼亞在組織理念上大不相同的地方，也是爲什麼德儀比希凡尼亞成功的原因之一。希凡尼亞研發部門的經費泰半來自政府，即使在公司自有經費的分配方面，研發部門也相當獨立。業務部門要研發部門開發某項新產品，研發部門愛理不理；業務部門生產出問題，研發部門可以讓他自生自滅，即使在上層壓力下派人去幫忙，派去的人也充份表露他們的無奈與不願。總之，希凡尼亞的研發部門有很優秀的人才，做他們自己有興趣或認爲有希望的工作，他們和公司的業務部門沒有什麼關係，他們是商戰裡的世外桃源。也許有人以爲，這是研發人才應有的環境，但在競爭激烈的企業裡，這是錯誤的觀念。一個業務不振的企業裡，自由研發的世外桃源又

能維持多久？

我所說的「研發、業務生命共同體」當然不適用在基礎或尖端研究上。那種研究的確需要相當自由，也不應被短視的業務單位負責人干預。但是，即使在最大的企業裡，基礎或尖端研究也只占研發工作的小部份。絕大部份的研發仍應與業務息息相關，也應與業務部門緊密結合。

多年後，我到工研院工作，我認爲工研院應該扮演台灣整體工業的研發部門角色，也應該與工業界緊密結合。但是，工研院的環境、文化、傳統都和美國企業有很大的不同。我的努力——至少在短期中——不見得很成功。

無法拒絕的機會

一九六一年春，我的生涯裡忽然又有了意料之外的發展。總經理召見我，誇了我一番，說我有足夠潛力角逐未來全公司研發副總之職。但是，「你沒有博士學位。我們雖不在乎，但研發人員會在乎。」他繼續說：「我們決定給你一個從未給過任何人的機會：讓你仍支全薪去讀博士，而且公司負擔一切學雜費。」唯

一條件：學成後爲公司服務五年。

這樣慷慨的給予，怎能拒絕？如果拒絕，難道不被認爲沒有志氣？我毫不猶豫的接受了。

六年前中斷的博士夢，現在又有機會圓夢了。神情稍定後，我告訴幾位較熟的同事。他們都贊成我回去讀博士，大半還表示羨慕。唯一的異音來自呂斯——NPN擴散型戰役的戰友。他搖搖頭：「博士有什麼好讀的。你的前途在管理，不在研究。去讀博士，你將錯過未來幾年的升遷機會」。

呂斯知我。但公司給予我的，正如後來美國暢銷小說《教父》中所謂，是一個「無法拒絕的機會」（注）。

注：「無法拒絕的機會」原文為「An offer he can’t refuse」。這句話在一九六〇年代美國暢銷小說《教父》（*The Godfather*）中常用，因而在美國會話中普遍化。在小說中，這句話是雙關語，「機會」往往非常優渥，但如拒絕，則拒絕者可能有殺身之禍。當然在我這情形，如拒絕德儀好意送我去讀博

士，後果不會那麼嚴重，但我很可能會被認為沒有志氣，將來升級機會也會受影響。

重拾書包
——史丹福大學

第五章 重拾書包——史丹福大學
我坐在史蓋倫教授辦公室外的等待室裏。史教授是系
主任，所以他辦公室外有一個小小二坪左右的等待室，再
外面是一個小小的秘書室，秘書不斷地在電話上講話。
史教授的門関着。等待室只有我一個人。牆上掛着一
只電鐘，时針正一分一秒地接近十时。我每过幾秒就望它
一下。儘管我不斷对自己說：鎮定，鎮定，我的心房像水
桶般一上一下，激烈地跳躍。
[illegible]博士資格[illegible]試的第一场口试。
正十点，门開了，史教授在门框裏出現：張忠謀？是
。請進。我立刻起身朝他走，他也回身，但兩步以後，他
又回頭问：要不要一杯咖啡？我說不要，他[illegible]

當我的德儀主管要送我讀博士時，他問我想去哪個學校？
我毫不遲疑地說：「史丹福。」
因爲當時史丹福大學是半導體領域的第一學府。
幾年在工作中的用功學習加上五個月的密集讀書，總算有了回報——
我通過了史丹福的博士考試，終於洗刷麻省理工落第的恥辱。

我坐在史蓋倫教授辦公室外的等待室裡。史教授是史丹福電機系系主任，所以他辦公室外有一個小小兩坪左右的等待室，再外面是一個小小的祕書室，祕書不斷地講電話。

史教授的門關著，等待室只有我一個人。牆上掛著一個電鐘，分針和秒針正一秒一分地將時針推近十時。我每過幾秒就望它一下，儘管我不斷對自己說：「鎮定，鎮定，」我的心仍像水桶般一上一下，激烈地跳躍。

我將面臨博士資格考試的第一場口試。

十點正，門開了，史教授在門框裡出現：「張忠謀？」「是。」「請進。」我立刻起身朝他走，他回身向內，但兩步以後，他又回頭問：「要不要一杯咖啡？」我說不要，他就繼續走回書桌後面的圈椅坐下，讓我進門後請我把門關上。

六坪左右的長方形的辦公室裡，除書桌和圈椅外，還有一張椅子、二張沙發。二面牆築上了書架，滿滿的擺了書。最長的牆上，是一個對著門的大黑板，幾乎占滿了整個牆。

洗刷落第恥辱

我不知道應否坐下，他也沒出聲，我決定在他書桌前面的椅子坐下。他露出笑容，似乎告訴我不必緊張。接著，他一本正經地問：「現在請你講講分子增幅器的原理。」

我又驚奇又高興。分子增幅器在一九五五年才發明，距離我到史丹福口試還不到七年，還沒有進入到百分之九十大學碩士班的課程，怎麼在史丹福博士口試出現了？但是，我相當懂得這新發明。自進入半導體業後，我對電子界的新發展發生濃厚興趣，也一直注意分子增幅器的演進。到了史丹福後，發現我所選課程的教授之一正是分子增幅器的共同發明者，雖然我所選的功課與他的發明沒有直接關係，但我在課後曾針對他的發明，請教過他幾次。

趕快收起心來，走到黑板前，回答史教授的問題。一面答，一面看他的表情。他沒有表情，只有時在我講得不清楚時插一個問題。這樣幾分鐘後，他忽然打斷我：「顯然你懂得分子增幅器的原理，現在我們進一步。在實際應用上，它

有什麼問題？有什麼限制？」這是較深的問題，但仍在我所知範圍內。我開始回答，但從他的插問中，似乎我說的不完全對。他抓住我講的一點：「若真如你所說，那我們如此做……豈不解決問題？」我有點慌張，「若真如你所說？」難道我說的不對嗎？不要慌張！趕快想！也許他在考我的思維方法。我沉吟了一會，開始講為什麼他的辦法會帶來別的問題。站在他前面，我絞盡腦汁想問題，已完全失去時間觀念。在我還未講完時，他看了看錶說，「今天就這樣罷，謝謝你。」半小時的口試結束了。

離開史教授辦公室，我立刻跑到分子增幅器發明人的辦公室，他居然在。我闖進去，氣急敗壞地在五分鐘內扼要告訴他我怎麼解釋他的「寵兒」。他笑了：「還好。如果你每場成績都如此，應該可以通過。」我補充告訴他史教授的「若真如你所說……。」他大笑：「這是史教授的考試辦法。你講得沒有錯，他只是試試你。」

這是我第一場口試，那天下午又有一場，次日又有兩場，每場不同領域，四場概括了電機系四大領域。每場半小時，由不同教授主試。教授的考試方法也不

一樣。有的如史教授，由淺入深問起。但以我與史教授這場爲例，如果我不懂分子增幅器，史教授一定會從更淺顯的原理問起；有的教授則自深問起，當學生不能回答時，他給學生一點提示；還不能回答，再給多一點提示。學生的分數也隨提示的增加而減少。

口試後有一個多星期焦急的等待。最後放榜。我通過了！在麻省理工落第的恥辱終於洗刷，我可開始讀博士。這又是人生中喜悅的一天！放榜當晚，我和妻子、女兒（那時才二歲）到舊金山中國城大吃一頓。女兒見我前半年日夜讀書，少言寡笑，但今晚突然開懷，又吃、又說、又笑，覺得非常奇怪，整頓飯睜大了眼看我。飯後妻女回家，我去橋藝社打了這半年內第一次的橋牌。

躬逢其盛

在半導體領域，史丹福那時首屈一指。位於舊金山灣區的半導體公司風起雲湧，史丹福充份利用了這時機招募教授。我到時，史丹福已網羅好幾位知名半導體專家爲教授。林維爾是固體電子研究所所長，專長電晶體電路，以前在貝爾實

驗室做研究。皮爾遜是貝爾實驗室的實驗大將。毛爾是貝爾實驗室的理論大將，專長半導體物理。安齊爾來自飛歌研究中心。吉本斯是史丹福土產博士，年紀雖輕，但已漸有名聲。我讀博士期間，又多了幾位名教授。最後一年，諾貝爾獎得主夏克雷任客座教授。他的經典作《半導體之電子與洞》是我初入半導體界時的啓蒙大師。（見第三章）

當我的德儀主管要送我讀博士時，他同時問我想去哪個學校？我毫不遲疑地說：「史丹福。」幾星期後，趁出差舊金山灣區之便，我去史丹福訪問了一次。我看了電機系教授名單，對我最熟悉的名字是毛爾，那時我已讀了好幾篇他的論文，所以我第一次訪校就去找他。毛爾那時四十歲左右，他給我的印象是一位溫文儒雅的學者。我告訴他我的學經歷，又給了他幾篇我已發表論文的印本，我們談了半小時多。最後我問他，如我通過博士考試，他願否收我爲他的博士生？他表示很歡迎。所以，我還未入史丹福，就已找定了博士指導教授。

用功學習有了回報

一九六一年九月，我獨自開了新車從達拉斯去加州。這一年我剛滿三十歲，已做了六年事。公司除支付我的學雜費外，還支付我全薪。那時我的收入已是美國的中上階級，生活水準也開始反映我的收入。汽車有原裝冷氣機，這的確有它的需要，因爲加州的白天很熱。自達拉斯到柏羅亞圖（Palo Alto），我開了三天車，途中還在洛杉磯逗留了大半天，一遊那時開張還不久的迪士尼樂園。到柏城後，租了一間位於史丹福附近、空間相當大的公寓。妻和二歲的女兒在幾天後也到了。

入學是九月，博士考試是次年二月。這幾個月可說是我生平最用功的日子。我選了幾門功課，但大部份時間都在準備博士考試。我的學、碩士學位在機械系，到史丹福才轉電機系，雖然六年的半導體工作，已給了我一些電機系的基本知識，但是現在要參加電機博士考試，我深怕我電機基本知識不夠。從九月到二月的五個月內，我每天從早上八時讀書到晚上十一時或十二時，很少休息，也從

無週末。

幾年來在工作中的用功學習，加上五個月的密集讀書，總算有了回報。我以一封快函向德儀的主管報捷。幾天後來了一個似乎半帶驚訝的回覆：「我早就知道博士考試對你不是問題。」他怎知我前幾月的臥薪嘗膽呢？

心情大爽。此後二年仍很用功，但心理壓力大爲減少，也開始有心情觀察灣區。最近（一九九七年夏）中外報章雜誌常有紀念「矽谷成立四十年」的文字。四十年前是一九五七年，那麼「矽谷」是在一九五七年誕生的嗎？不見得。一九五七是快捷半導體公司的誕生年，快捷是第一家以「矽」爲專業的公司，而且後來快捷又衍生了許多半導體公司，所以現在大家把一九五七當作矽谷元年。事實上當我在史丹福時（一九六一至一九六四），灣區尚無「矽谷」之名。直到七十年代，科技公司漸多，「矽谷」這名詞才不脛而走。

不受傳統觀念束縛

近年來台灣去矽谷求學、觀光或定居的人數大增，大多數人都認爲矽谷居住

環境比台灣好得多。但是，如果現在的矽谷是樂園，二十多年前的矽谷簡直像天堂。自舊金山到聖荷西這一帶，南北六十英里，東西約十英里，現在已是繁華的都市區，都市問題一應俱全：人口稠密、交通阻塞、污染增加、房價高漲、治安堪虞。我在史丹福求學時代，這些問題都還未出現，有的只是美麗的風景、宜人的氣候及悠閒的氣氛。

我到加州前，在美國東北部的波士頓住了九年，南部的德州住了三年。這三個地方的人文習慣有很大的不同。我想其間差異是先天條件形成的。美國東北部是美國最早文明之地，人口稠密，氣候較寒冷（波士頓的緯度與瀋陽相似，紐約與北京相似），工作和生活幾乎都在戶內。因此造成較拘謹的衣著、習慣和態度。以文化論，東北部仍首屈一指，有最好的學校、音樂、藝術、博物館。德州地大物博，氣候爲大陸型，在夏天時極熱，冬天時相當冷。因爲地大，住宅、辦公室、工廠，以及各種設施的用地相當奢侈。人口分散，所以公共交通不發達，人人都有汽車。但是工作和生活的大部份時間也侷限於戶內，只是衣著、禮貌較東北部隨便而不拘謹。德州人工作很勤奮，與東北部的人沒什麼兩樣。上班習慣

也與東北部一樣，比較傳統。大部份人都準時上班，上班時間專心做事，可以很晚下班，但下班後就是自己的時間。

西岸的加州氣候四季如春，居民傾向於戶外生活，例如，加州住宅多數以與自然融合爲原則。人口密度低，人人有汽車，享受充份行動自由。這種氣候帶來的戶內、戶外生活自由，以及汽車給予的行動自由，影響到加州的工作、生活習慣。加州工程師是最不受傳統上班觀念束縛的，一般說來，他們的勤奮不下於美國其他地方的人。他們可以在工廠裡工作到深晚，但不願早上準時上班。他們願意在家裡、在球場上、在遊艇上深思工作上的問題，但不願承諾每週必須工作若干小時。對上司，他們的態度比較隨便、甚至倨傲。他們忠誠的對象是工作，而不是上司或公司。對待遇，他們的態度相當現實，會斤斤計較，而且大部份年輕人有一夕致富的夢，因此他們的流動率也較別的區域爲高。他們缺少紀律，但富有活力；缺少對人對組織的忠誠，但不缺乏對專業的投入。這樣的人才，如能善爲引導，可以成爲富有創意和動力的一羣。如領導不好，就是烏合之眾。

對加州的觀察是在我在史丹福幾年內漸漸累積的。後來加州——尤其矽谷，

在科技產業的地位愈來愈重要，我與加州接觸的機會也愈來愈多，但三十多年前的觀察今日仍有效。

求學如魚得水

我的博士論文寫砷化鎵。砷化鎵，正如鍺、矽，也是半導體。我讀博士那幾年，正值砷化鎵最爲熱門。不少學者認爲砷化鎵可能會繼鍺及矽之後成爲最普遍的半導體。毛爾教授建議我做此題目，當然也與時髦趨勢有關，論文內容兼具理論計算及實驗證明。實驗工作相當重，記得有一年多的時間，每週至少五、六天，每天至少幾小時，我都在做論文的實驗。最近爲了寫這本自傳，把博士論文從書架裡拿出來又翻了一遍。滿章滿頁的方程式，現在已毫無記憶，倒是當年做實驗的辛苦恍如昨日。

矽谷那時已是半導體重鎮，史丹福尤爲半導體第一學府。對一個已在半導體界做了幾年事，目前正在做尖端研究的我，真是如魚得水。除毛爾教授外，在校內或業界可以與我討論論文的人不少，我也非常關切半導體一般狀況。所以史丹

福幾年，我與業界接觸很多。矽谷業界常有正式或非正式的技術討論，我參與了不少，全國性的學術會議也每年參加二、三次。

通常博士生除了爲找工作外，與業界接觸不多，但我因爲做了幾年事，又是公司資助讀博士，對公司有學成服務的承諾，所以自我定位爲業者甚於學生。過去的職業經驗，包括曾發表論文的經驗，更使我能與業界自然交往。史丹福的幾年，無論當時或事後看，都似乎是服務德儀的延續。常有人問我，青年人應該先把所有學位都讀完了，再去做事？還是先讀了學士碩士，做事幾年，再回學校讀博士或企管碩士？我的答覆是：如果志在教授或研究，應先把學位讀畢才去做事；如果志在企業界，應先做事幾年再回學校。後者的很多好處都是我的親身經驗。假使當年我由麻省理工學院畢業後一口氣讀博士，我會是機械博士，但我不知道讀成後會做什麼事，也不知道讀的東西以後有什麼用處；相信我也不會太用功，只會用功到一個程度，能拿到博士學位罷了。在史丹福，我已知道未來會繼續在半導體業，我也深知自己的半導體學問不足，因此加倍努力，以求在既定的事業方向邁進。

儘速回德儀

我讀博士的兩年半間，德儀有很大的變化。一九六一、一九六二年市場競爭激烈，德儀原來在矽電晶體上的優越地位大幅退讓，因此這兩年的營收不增反減，盈餘更受影響，一九六二年的盈餘僅爲一九六〇年的六成左右。隨著業務逆轉，人事也更迭頻繁。呂斯對我的警語：「去讀博士，你將錯過不少升遷機會」，看起來相當準確。呂斯自己在這兩年半中升了兩級。我讀畢博士時，他已是掌管半導體部大部份業務的副總裁，夏伯特（前半導體部總經理）已是執行副總裁，掌管全公司業務。我去史丹福時的上司已辭職，新的半導體部總經理是道森（就是第一次發給我獎金那位）。道森在一九六二年底公司情形最差時臨危受命，經過一年的慘淡經營，一九六三年的業績開始好轉。當我於一九六四年春天回公司時，公司業務又快速成長。

新升任的長官，尤其道森和呂斯兩位，都爲我熟識，而且都很賞識我，所以我人在史丹福，儘管錯過升遷機會，只有很輕微的遺憾。究竟，我充實了自己，

應該更能接受較大的責任。我想快快讀完，儘速回到德儀。

終於，一九六三年底，毛爾教授對我說論文做得差不多了，可開始寫。我花了以後的三、四個月時間完稿，並通過最後一次口試。一九六四年四月，博士學位在握，我告別教授和同學，啓程向達拉斯，回德儀。

那時我三十二歲，已讀了二十一年書，做了六年事，在美國也已十五年。我在希凡尼亞失去青年人特有的天真，但就業經驗使我多一分堅強、多一分智慧。我擁有世界著名學府的最高學位，也受到世界最大半導體公司高級主管的信任和賞識。自加州至達拉斯途中，我抱著滿懷的希望和期待。未來的天地如同德州一望無際的大平原，無限寬廣。

附錄

「文藝少年」裡的三篇是我少年時代的作品，不足登大雅之堂，只是作家夢的一些片段而已，在此刊出，供讀者一哂。第一篇〈伊莉莎伯〉是我二十歲到美國後第二年所寫。那時寫中文似比現在熟練些，文中人物故事純屬虛構。第二、三篇：〈勝利的前夕〉和〈殺臭蟲〉，是我十三歲時在重慶南開中學初中三年級的作文。

「科技觀點」兩篇爲近年所作。〈台灣半導體業的機會〉在一九九五年一月發表於《工商時報》，〈發展台灣科技業〉是在一九九七年九月應行政院長蕭萬長先生之邀而寫，未曾對外公開。

伊莉莎伯

張忠謀

午飯桌上忽然聽說伊莉莎伯嫁了。然而我一直以爲她是不會嫁的。那麼又從哪裡來的那麼荒謬的印象？

深夜獨坐在宿舍裡，悲涼得很，努力從記憶裡找往事的斷片，記得我認識伊莉莎伯，已是五年前哈佛暑期學校的事了。

那是到美國的第二年，已經在哈佛讀完一年級了。暑假，沒事可做，便在暑期學校選了一科歷史。剛開學不久，有一天傍晚在飯堂前面排隊等飯吃，忽然看見一位漂亮的中國小姐從裡面出來。劍橋原是很少中國小姐，尤其少美麗的中國

小姐，因此不免有許多人向她注目。這位小姐似乎知道有人在看她，頭抬得高得很，很快她就走過去了。我原不認識她，然而卻聽見旁邊一個美國人說：「她叫伊莉莎伯，在我的法文班裡，驕傲得很呢。」於是我才知道她叫伊莉莎伯。

此後竟常看見伊莉莎伯。上午看見她踏著滿是陽光的草坪去上課，黃昏又常見她和幾個同伴漫步哈佛園的樹蔭下，時說時笑，極自然，極爛漫，幾令我難以相信那個「驕傲」的評語了。伊莉莎伯無疑地給哈佛學生帶來了春天，哈佛園裡散步的人似乎突然增加，飯堂也常有中國學生光顧了。常常聽見有人提起伊。提起她時，大家照例都非常興奮。過了幾天，漸漸聽見有人說要約她出去玩了。

許多舊人往事，此刻都隨伊莉莎伯浮現到眼前來。那年哈佛暑期學校的熟人裡，有一個是漳，他讀經濟和政治，和我很談得來的，因此開學沒多久，竟變成了好朋友。女學生中有幾個名字都忘了，可是除了伊莉莎伯外，似乎還有一個姓繆，還有一個姓蔣的，都相當美。那時我對這些原沒有什麼興趣，也沒有什麼野心。然而大家都非常嚷嚷，漳也是嚷嚷裡的一個。有一天，他忽然說讀書讀得太單調了，星期六去約幾位小姐出去野餐吧。一半是好奇，一半是湊趣，我便也答

應了。

那才是開學後的第二星期，我們商量定了後，我便推漳去約人，漳居然也慨然應允。第二天，他竟對我說，幾位漂亮的全約到了，伊莉莎伯自然也在內，我有些驚奇，然而又很佩服他。過幾天就是星期六，約定二點鐘出發的，我們吃了飯就去買東西，買了回來已是遲了。幾位小姐早已等在美簫堂前。我一眼就看見了伊莉莎伯，那天原說是去野餐的，她卻還是穿得非常講究，頭髮顯然是做過了，鵝黃的旗袍和白皮鞋都像是新的。看看自己身上的隨便，漳和我都有慚色了。

目的地是懷爾斯來，漳開車子。起初小姐們都靜得很，只有漳和我逗著她們說話。開始當然是「從前哪個學校讀書的?現在讀什麼?」之類。漸漸大家的興致都來了。在慰冰湖划船時，繆、蔣和我同船，早已是有說有笑。伊莉莎伯和漳在另一個船上，似乎比我們更不拘，湖上常聽見漳的爽朗的笑聲，將近黃昏時，居然看見二個人坐在一起，漳在教伊莉莎伯划船了。

那天晚上十點鐘回來，車子裡大家都唱歌，伊莉莎伯還獨唱了一隻「教我如

何不想他」。回到學校後，本來大家都有些疲倦了，漳卻提議去小店吃點心，小姐們都不反對，我也只得奉陪。漳的談興好得很，說了好幾個很精彩的笑話，大家都笑得很暢快。但是我卻看見漳一直在望伊莉莎伯，以她的笑來測驗自己笑話的效力。

× × ×

以後幾天剛碰到暑期學校的第一次考試，忙得很，也沒去找漳，只有一天在圖書館前面瞥見他。他正指手劃腳在向一個猴子臉發議論，我知道他一定又在大談英國社會主義的得失了，當然沒敢去打斷他的雄辯。星期四晚上，卻忽然接到他的電話，說星期六哈佛中國學生有一個跳舞會，問我去不去，我剛在猶豫，他卻已說會替我去找舞伴，我於是笑著說：「你如今居然這麼有辦法了。」他哈哈了一聲，沒說什麼，但是我可以想像到他的那副得意臉色。

星期六是漳和伊莉莎伯一起來接我的。伊莉莎伯像是不大認識我，只和漳說話。我開始奇怪，一個星期，他們竟那麼熟了。接了我後又去接蔣小姐，就是漳替我找的舞伴，待得到舞會時，人差不多都到齊了，十幾個人的樂隊正在大吹大

擂，舞池裡已滿是畢挺西裝的紳士和嬝娜多姿的淑女。一進大廳，漳就失了蹤。我因爲遇見了好幾個熟人，又忙著招呼蔣飲茶喝水，也來不及去注意他，直到舞會快完的時候，才偶然瞥見漳在一個最暗的角落裡，緊擁著伊莉莎伯在跳慢狐步。

半夜出來，漳又提議去吃點心，沒人反對，漳就把汽車開到河邊的一家咖啡館，那晚吃的是冰淇淋，可是我卻看見漳的臉一直像火燒過那般紅。四個人在一起，蔣和我似乎是並不存在的。只有漳說話，說給伊莉莎伯聽。伊莉莎伯輕顰淺笑，有萬分的儀態。火車座椅的黯淡燈光，映在她的臉上，愈顯得她秀媚入骨——這是我第一次真正領略到伊莉莎伯的美。

出來，明月繁星，江火螢螢，是詩一般的夜，和畫一般的人。漳故意和伊莉莎伯走在後面。水聲潺潺中，我也聽見他們在竊竊私語，說什麼可就聽不清楚了。我忽然覺得，漳是很幸福的。

× × ×

於是我在漳的房間裡找不到漳了。要找到他，除非在黃昏的露天樂廳，星夜

的查理士河畔，要找到他，同時也找到了伊莉莎伯。

我也覺得漳變了。起先我們常常見面，見到面後什麼都談的。後來見面時總有伊莉莎伯在旁邊。即使只有他一個人，他的談興也不像從前那麼好了。他只願談伊莉莎伯，似乎從伊莉莎伯，他才領略到生命的真意義：

「伊莉莎伯是一朵未放的春花，她需要春雨甘霖的灌溉。」

「別看她不言笑的冷面孔，她有一顆溫暖的內心。」

「這心要有人來發現。」

我不響了，我沒有意見。終於他覺得自拉自唱沒有意思，索性什麼話也沒有了。他愛靜坐在圈椅裡，凝神望窗外蔚藍的天，當我提起什麼國際大事時，他固然只有冷漠的一搖頭，就是有時爲逗他高興，提起伊莉莎伯吧，他也只有淺笑了。

劍橋中國學生傳播某某和某某戀愛的消息比傳播德國打入波蘭的消息還快。只有二、三個星期，漳和伊莉莎伯的桃色新聞似乎已成爲「眾所周知」的了。提起伊莉莎伯，別人都說：「這個人是有男朋友的呢。」見到漳，別人都問他「伊

莉莎伯怎樣了」。漳總報以一個不可捉摸的笑。然而有時他也挺身而起，爲伊莉莎伯辯護。當有些好事的人，說到誰和誰都做過伊莉莎伯的「前任」愛人時，漳總冷然說：「這些都是謠言。」有一次中國學生又要開一次聯歡會，決議請伊莉莎伯來唱歌，漳在場，卻淡然說：「她不肯唱的。」於是大家都無可奈何地憮然了。

當快大考時候，甚至有人說漳和伊莉莎伯恐怕就要訂婚了。

然而，據說，戀愛是要有風暴的，成功的戀愛固然有風暴，失敗的戀愛當然更需要風暴來結束。大考的前一個星期，許多同學一起來玩康果革命戰場，漳和伊莉莎伯是同時被請的，二個人都來了。路上大家都很高興，可是不知爲什麼，我總覺得漳和伊莉莎伯沒有先前那麼好了，伊莉莎伯仍很自然，和大家有說有笑，然而卻很少看漳，漳似乎一直緊張得很，默默地只跟著伊莉莎伯跑。

晚上回來，大家都以爲漳一定要自己送伊莉莎伯回去，就在哈佛園門口停了車，漳卻約我同行。我們三人步過寂寞的小徑，沒有一個人說話，只有到伊莉莎伯宿舍門口，她回頭說晚安時，我才聽見漳咕噥著對伊莉莎伯說明天來看她。

伊莉莎伯的回答卻乾脆得很，「明天我有事。」

漳沒再說什麼，伊莉莎伯進去了，漳便叫我去他房間坐。到了樓上，燈光下，我看見漳的臉色慘白，走路也有些恍恍然的，我問他怎麼了，他說還好，我問他伊莉莎伯是不是和他吵過了。他卻說沒有。

點著一支菸，他忽然說他是完了，聽說伊莉莎伯已經有了別的男朋友，明天也許就是和那個男朋友出去，他又說他一向非常尊敬伊莉莎伯，也從沒和她吵過。然而這一個星期來，伊莉莎伯卻漸漸對他冷漠了。晚上聽音樂也不肯去，散步也推說頭痛，今天卻明說有事了。

像一個半昏迷的醉漢，像一個絕望的精神病人，他夢囈般對我說他剛醒的夢。懷爾斯來遊後的一週，是多麼甜蜜「秋波頻送」的一週。舞會那一晚，是多麼纏綿「不知東方之既白」的一晚，河畔曾有過多少美麗的黃昏，湖上曾有過多少姣豔的月夜……。

我絕不能忘記那晚的漳，那個倒在圈椅裡，兩頰蒼白，手足顫抖，散著領結，蓬著頭髮，不停地抽菸的漳了，這不是先前豪放後來多情的漳了。昏暗欲滅

的壁燈下，我只看見了一個被斲傷的靈魂，一股被糟蹋了的熱情，我只看見了毀滅的醜惡。

我還能說什麼？推他上床，替他熄了燈，我便走了出來，然而走出大門，抬頭望他的房間，我卻看見窗前他的黑影，翹首望天，若有所思。

× × ×

我始終沒有再看見他。他沒考大考，悄然而去了。情場角逐本來就如宦海的浮沉。得無足喜，失不必悲的，然而滰似乎不能想穿這點，他是明顯地失戀了。也許這還不能算失戀。因爲也許他本來就無戀可失的，可是即使連這點都想穿了又有什麼用？心頭的創痕已是深鉅，再也沒有什麼法子可以彌補的了。

臨去，他從劍橋郵政局寄了一張便條給我，上面只有寥寥的幾句話：

「舉足偶誤，竟鑄終生之恨，今者一念既寒，萬緣俱寂，願杜門簡出，深思謝過而已。覆轍之鑑，足下戒之，戒之！」

我倒沒很注意他的「戒之戒之」，只覺得他太悲涼了些，然而轉念一想，這也未始不是好兆頭。假使滰真能以「一念寒」而「萬緣寂」的話，那他真是受伊

莉莎伯之賜不淺了。

伊莉莎伯呢？我卻還是看見她。放假後她並不就走，我有一個朋友的朋友，姓王的，也在我那個聚餐會裡，一個月四次聚餐裡，姓王的都曾去，而有三次他是和伊莉莎伯一起去的。她還是那麼輕顰淺笑，儀態萬方……。

× × ×

暑假後自己就轉學，五年來在書堆裡討生活。哈佛是不大去了，可是每次走過，我總忍不住要抬頭望望園牆裡樹木森森的哈佛園。那裡有過美夢和絕望，有過歡笑和悲泣，有過真戀和假愛，有過羅曼詩和斷腸曲。然而這一切都太遠了，遠得像前世的事，或者是那個夏天晚上的夢了。

伊莉莎伯是嫁了，可知我先前的印象是完全錯誤的，本來一個人是要找歸宿的，何況伊莉莎伯那麼聰明的人！可不知道她嫁給誰，無端竟覺得那個人一定是很偉大的，然而我不敢再懸想了，我原是一個那麼拙劣的懸想者。

漳呢？可不知道他在哪裡，他從沒寫過信給我。

——劍橋四月，窗外櫻花紅似血。

中美週報 第四四三號

伊莉莎伯

馬[illegible]

午飯桌上忽然聽說伊莉莎伯嫁了。然而我一直以為她是不會嫁的。

那麼又從那裏來的那麼荒謬的印象？

深夜獨坐在宿舍裏，想淒得很，努力從記憶裏找作出的斷片，記得我認識伊莉莎伯，已是五年前哈佛暑期學校的事了。

那是到美國的第二年，已經在哈佛讀完一年級了。暑假，沒事可做，便在暑期學校選了一科歷史。剛開學不久，有一天傍晚在飯堂前面排隊等飯吃，忽然看見一位漂亮的中國小姐從裏面出來。哈佛原是很少中國小姐，尤其少美麗的中國小姐的，因此不免有許多人向她注目。這位小姐似乎知道有人在看她，頭抬得高得很，很快地就不見去了。我原不認識她，然而聽見旁邊的一個美國人說：「她叫伊莉莎伯，在我的法文班裏，聰慧得很呢，」於是我才知道她叫伊莉莎伯。

此後我就常看見伊莉莎伯。上午在見她談着滿是陽光的草坪去上課，或在圖書館見她和幾個同伴漫步哈佛園的樹蔭下。時說時笑，極自然，極優雅，就令我難以相信那個「聰明」的評語了。伊莉莎伯無疑地給哈佛學生帶來了春天，哈佛園裏散步的人似乎突然增加，飯堂裏常有中國學生光臨了。常常聽見有人提起伊。提起她時，大家照例都非常興奮。過了幾天，漸漸聽見有人說要約她出去玩了。

許多的人往事，此刻都隨伊莉莎伯浮

（本文為作者二十歲時在美國寫的短篇故事，當時在美國《中美週報》發表。）

勝利的前夕

張忠謀

是一個多好的天氣，彩紅色的晚霞，映著青蒼的天，從海邊首相官邸的窗口看出去，只見一條條白色的漁船張起了帆，從綠水中蕩回來，這裡完全是昇平的氣象，看不出一點戰爭的威脅。

可是小磯今天再也沒有閒情雅致來欣賞美景了，他在辦公室内踱著，焦急的踱著，步子愈跨得大，眉頭也愈皺得緊。

突然，陸相杉山元，氣呼呼，汗涔涔的跑進來。

小磯嚇了一跳。但他隨即又恢復他的尊嚴，破口罵道：

「混蛋！這是什麼地方？容你亂跳亂跳，爲什麼……。」

杉山元似乎沒有聽見，依舊是急忙忙的說：

「首相！不好了！瀋陽失守！長春告急！蘇、浙方面，渝軍離上海只有六公里了，杭州發生巷戰……。」

小磯搖手叫他不要講了，自己又嘶啞著聲音問：「我們的老家呢？」

杉山元連串不斷的說：「老家嗎？九州全部被占領了，橫濱、橫須賀都吃緊，剛才天皇對我說：『我看大局是難收拾的了，你去問問首相對於投降的意見如何？』」

「投降？」小磯似乎很吃驚。

「是的，」杉山元倒鎮靜而肯定：「天皇說：『首相如果對挽回危局沒有把握，那還是投降好。』」

小磯伏在案上哭了，哭得那麼傷心。

杉山元呆在一邊。

暫時的沉默。

海相、外相聯袂奔入。

「首相！」異口同聲地說。

「我們的聯合艦隊，全部在新加坡港外被圍了！」是海相的報告。

「駐德大使剛來過電話，他說柏林已經放棄了，希特勒可能於明天下台。」外相的聲音。

小磯突然爬起來了：「好！你們都想投降，都想陷我於不忠，算了吧！可憐我一世英雄，今日竟至如此地步。」

他拔出手槍，朝準自己的太陽穴，砰的一聲，就倒臥在地板上。

天已黑了，還模糊地看見米內、杉山元、重光葵都在苦笑著。

× × ×

在重慶國民政府裡面。

蔣主席坐在辦公室裡，愉快地在翻閱文件，臉上露出一線微笑。

陳部長誠走進來。

「主席，」主席微笑地點了點頭，部長繼續說：「我們已經克復瀋陽和南京

了！」

「哦！」主席笑了，九年以來，從沒有見他這樣歡喜過。

「好！我們的光明就在眼前了。九年的抗戰，到底不是白費力氣的，希望我們以後更加自勵，建設一個新的中華民國。」主席看著部長興奮的臉歡愉地說。

（本文為作者十三歲就讀重慶南開中學初三時所寫，刊載於《南開初中》創刊號。）

殺臭蟲

張忠謀

前天晚上，我被臭蟲騷擾得不能入睡，爲斷絕後患起見，昨天便和幾個同學一起來殺臭蟲。

雖是炎日當空的中午，但我們不覺得有絲毫疲勞，我們知道，挨過了這辛苦，就會得到舒服，所以精神上是非常愉快。

把床搬出來後，我們先去拿開水，水還是溫的，沒有用。於是我們改變了計畫，又回來，等待著臭蟲自己送死。

過了一會，臭蟲經不住太陽的熱力，一個個爬出來了，我們便上去用腳踩

踏，踏了以後，我們只看到臭蟲支離的屍體，和一條條鮮紅的血痕，啊，這是我們自己的血啊！

那時，我不禁對臭蟲起了一種憐憫的心理，他們不過是一羣無知的、可憐的小動物罷了，他們何嘗知道，在他們的上面，還有人類崇高的威權。他們在吸吮人血時，又何嘗知道會有殺身的慘禍；他們只曉得吃，這是真的；然而人類到底也太殘酷了。

我把這感想告訴了同學，同學們都笑我的痴呆，他們說：「你不殺他們，他們倒要殺你了。」

這樣的想著，我們一會就把臭蟲殺光，把床搬回原處了。

我慢步踱回教室，心中又起了一種矛盾的思想。

我想，我們不但要殺真正的臭蟲，還要殺人類的臭蟲——一般貪污的官吏，囤積居奇的奸商。他們吸吮窮人的血，正如臭蟲之吸吮我們的血，他們又何嘗有良心，他們又何嘗有憐憫之心呢？他們只曉得賺錢，正如臭蟲之只曉得吸血。

臭蟲們，覺悟吧！若再執迷不醒，當心殺戮的慘禍將要臨到你們頭上來了。

（本文為作者十三歲就讀重慶南開中學初三時所寫，刊載於《南開初中》創刊號。）

勝利的前夕

初三二組　張忠謀

是一個多好的天氣，彩紅色的晚霞，映着青蒼的天，從海邊首相官邸的窗口看出去，只見一條條白色的漁船張起了帆，從綠水中蕩回來，這裏完全是昇平的氣象，看不出一點戰爭的威脅。

可是小磯今天再也沒有閒情雅致來欣賞美景了，他在辦公室內踱着，焦急的踱着，步子越跨得大，眉頭也越皺得緊。

突然，陸相杉山元，氣呼呼，汗涔涔的跑進來。

小磯嚇了一跳。但他隨即又恢復他的尊嚴，破口罵道：

「混蛋！這是甚麼地方？容你亂跑亂跳，爲甚麼……」。

杉山元似乎沒有聽見，依舊是急急忙忙的說：

「首相！不好了！瀋陽失守！長春告急！蘇、浙方面，渝軍離上海只有六公里了，杭州發生巷戰……」。

小磯搖手叫他不要講了，自己又嘶啞着聲音問：「我們的老家呢？」

杉山元連串不斷的說：「老家嗎？九州全部被占領了，橫濱、橫須賀都吃緊，剛才天皇對我說：『我看大局是難收拾的了，你去問問首相對於投降的意見如何』」？

「投降」？小磯似乎很吃驚。

「是的」，杉山元倒鎮靜而肯定：「天皇說：『首相如果對挽回危局沒有把握，那還是投降好』」。

小磯伏在案上哭了，哭得那麼傷心。

杉山元呆在一邊。

暫時的沉默。

殺臭蟲

初三二組　張忠謀

前天晚上，我被臭蟲騷擾得不能入睡，爲斷絕後患起見，昨天便和幾個同學一起來殺臭蟲。

雖是炎日當空的中午，但我們不覺得有絲毫疲勞，我們知道，挨過了這辛苦，就會得到舒服，所以精神上是非常愉快。

把床搬出來後，我們先去拿開水，水還是溫的，沒有用。於是我們改變了計劃，又回來，等待着臭蟲自己送死。

過了一會，臭蟲經不往太陽的熱力，一個個爬出來了，我們便上去用腳踩踏，踏了以後，我們只看到臭蟲支離的尸體，和一條條鮮紅的血痕，啊，這是我們自己的血啊！

那時，我不禁對臭蟲起了一種憐憫的心理，他們不過是一群無知的，可憐的小動物罷了，他們何嘗知道，在他們的上面，還有人類崇高的威權。他們在吸吮人血時，又何嘗知道會有殺身的慘禍；他們只曉得吃，這是真的，然而人類到底也太殘酷了。

我把這感想告訴了同學，同學們都笑我的痴呆，他們說：「你不殺他們，他們倒要殺你了。」

這樣的想着，我們一會就把臭蟲殺光，把床搬回原處了。

我慢步踱回教室，心中又起一種矛盾的思想。

我想，我們不但要殺真正的臭蟲，還要殺人類的臭蟲——一般貪污的官吏，囤積居奇的奸商。他們吸吮窮人的血，正如臭蟲之吸吮我們的血，他們又何嘗有良心，他們又何嘗有憐憫之心呢？他們只曉得賺錢，正如臭蟲之只曉得吸血。

臭蟲們，覺悟吧！若再執迷不醒，當心殺戮的慘禍將要臨到你們頭上來了。

台灣半導體業的機會

張忠謀

一、半導體的「彌漫性」

三十餘年前，當積體電路的高功能、低體積性質還沒有充份顯明時，美國海格底（美國德州儀器公司總裁）氏就首倡半導體彌漫論。他的意思是：在二十世紀內，半導體因其特殊性能，必定「彌漫」（pervade）國防、工商業、民生各種用途。如今二十世紀尚未結束，而海氏的遠見已經實現。環顧我們周圍，幾乎無處沒有半導體。半導體的蹤影可發現在工廠（各種控制器）、商店（終端機、

信用卡掃瞄器等等）、辦公室（個人電腦、各種辦公室電子用具）、家庭（電視機、各種家用電器、汽車），甚至於人身上（液晶表、行動電話）。更有甚者，半導體市場並沒有接近飽和的現象，新的用途仍層出不窮。就以個人電腦（它只是半導體的應用之一）而言，最近方興未艾的多媒體發展，可使個人電腦更深入辦公室與家庭，當然也同時更加強了半導體的普及性。

過去三十年間，世界半導體市場的平均成長率爲每年一五％。前瞻未來十至十五年，成長率仍可維持在每年一五％左右。這樣高幅度的持續成長是非常驚人的。它相當於每五年增加一倍，亦即是說，十五年後世界半導體市場應爲現在的八倍。當然，超於水準的業者應有更快速的成長。

二、台灣的機會

台灣半導體業在過去十餘年有遠超於世界水準的表現，從十餘年前的篳路藍縷，到今年（一九九四）的產額應可達三十億美元。以產額言，台灣已在世界五、六名之內。這樣的成就在短短十餘年內發生，絕非偶然，主要是基於台灣的

各種優勢因素。如果我們能保持、甚至擴大這些優勢因素，則今日的成就只是一個開始而已，未來的機會仍無可限量。筆者認爲下列的台灣優勢因素，是過去造成台灣半導體業成功的主因，也提供了未來台灣的機會：

㈠技術人才充沛——半導體是一個技術密集產業。在一個典型半導體公司內，「間接人工」數目往往超過直接作業員，而「間接人工」內，絕大部份又是工程人員。所以在一個半導體公司內，具有理工學士學歷以上的人員，往往占全公司人員三〇%以上。台灣的大學平均水準很高，而主修理工的百分比又較西方國家爲高，造成相當充沛的技術人才來源。還有一點值得提出的，在美國從事半導體業人員，其中原來自台灣的數以萬計。這些具有工作經驗的人才，在過去幾年已有若干返國工作，但留在美國的更多。無庸諱言的，這是未來台灣半導體業的一個重要人才資源。

㈡資本及投資意願——半導體是一個資本密集產業。一個具有經濟規模的晶圓廠，需要新台幣二、三百億元的投資。過去幾年來，台灣已有同時投資幾個晶圓廠的經濟能力。更重要的，台灣企業家對於半導體的投資意願，也已急遽提

升。台灣企業界對半導體的投資能力及意願，與近幾年來的日本相比，形成一個強烈的對照。即使與美國比，台灣也占優勢。

㈢非勞力密集——如上所述，半導體業是一個技術密集，也是一個需要大量技術人才的產業，但它不是一個勞力密集的產業。以每一員工每年營收來衡量，半導體業超出工業平均不少。這一產業特徵，在勞工缺乏、台幣升值、工資飛漲的環境下，變成一個優勢。

㈣政府政策的鼓勵——政府無疑是今日台灣半導體業成就的功臣。政策的鼓勵，包括工研院過去的研究開發、科學園區土地與標準廠房的提供及各種服務、和對科技工業的租稅優惠。

㈤低污染——半導體業是一種低污染工業，而且現代的設備更可以把污染減到最低限度。對半導體業而言，在環保意識強烈的環境內，這是一個優勢。

㈥國際市場開放——半導體可說是國際貿易最爲暢通的商品之一。美國、西歐市場的障礙很低，日本市場的障礙在近年來也逐漸降低。台灣本身的半導體市場很大，但開放的國際市場更增加台灣半導體業發展的空間。

筆者認爲以上所述是台灣半導體業進步的重要因素。進一步看，筆者認爲這些有利因素大致仍然存在，可創造半導體業將來在台灣發展的機會。近幾年來，國內常有投資環境惡化，投資意願低落的憂患。但是就半導體業而言，甚至可以說就科技產業而言（因為大部份適用於半導體業的有利條件，亦適用於一般科技產業），台灣仍能提供一個好的發展環境。

三、台灣半導體業應採取的策略

有了有利環境和機會，台灣半導體業應採取什麼策略，俾能更上一層樓呢？

㈠保持生產優勢——台灣半導體工廠的良率、生產力、品質一直是台灣半導體業的最大優勢。近年來，台灣在設計、行銷上也有大幅的進步，但生產優勢無疑地仍是台灣半導體業的大本錢。要保持生產優勢，必須繼續開發每一代的新生產技術，投資每一代的新生產設備，並且保持高度工廠人力水準。

㈡世界市場是目標——上面已經說過，半導體的國際貿易甚爲暢通，市場已失去國界。每一半導體公司都應以世界市場爲目標。事實上許多家世界級半導體

公司都各有所長，而各把自己所長的產品行銷於世界市場。舉例來說，日、韓公司生產大量記憶體，行銷於美、歐、台灣市場，而美國英代爾公司以微處理器霸主地位，大量行銷微處理器於各國市場，英代爾本身需要大量的記憶體，卻反而向別的公司購買。這種因自由貿易而形成的分工形態，可使整個產業更爲蓬勃發展，也產生了許多利基機會，可供後來進入這產業者（例如台灣）利用。本國市場的大小，反而不是那麼重要。

㈢世界級的經營方式——半導體的市場和競爭是國際性的，高級人才的流通也已漸漸成爲國際性。只要看近幾年來有不少人才自美國流回韓國、台灣，而同時又有更多台灣人才或進入、或留在美國半導體業，就可見其趨勢。要吸引或留住高級人才，要在此日新月異的行業競爭，而競爭的對象又是世界級的大公司，我們必須採取世界級的經營方式。所謂世界級經營，當然也因應各國文化而不同，但筆者認爲有幾點是共通的：管理應採領導式，而非權威式；組織應採扁平型；研發應該是公司的重要工作；內部溝通應儘量開放；用人應採唯才是用原則；員工績效應經常考核，優者獎勵，劣者改進或淘汰；員工應有與股東分享利

潤的機會等等。

㈣增強研究發展，並爭取智慧財產權——以對研發的投資而言，台灣半導體業已是國內工業的佼佼者，但以世界水準衡量，台灣半導體業尚須進一步增強。研發成果之一是智慧財產權，先進國家的大公司因爲歷史因素，在今日仍享有智慧財產的絕大優勢，而且運用智慧財產權爲重要競爭工具，我們必須急起直追。智慧財產權的累積需要時日，但五年、十年的努力，應可產生相當成績。日本、韓國公司在近十年、十五年來的成就，可作爲我們的前鑑。

㈤爭取政府的繼續支持——環顧半導體大國，日、韓半導體業過去受政府支持甚大；美國半導體業亦受國防研究之惠；西歐各國政府支持半導體不遺餘力，但成效不彰。今日情形，日本政府對半導體業的直接支援逐漸減少，但美國政府的角色則在近幾年內反趨積極。在新興國家中，新加坡及中國大陸政府也在積極建立半導體業。台灣半導體業雖然漸具規模，但政府政策的積極支持，仍屬必要。政府研發單位雖不必從事大規模的生產技術開發，但如能從事尖端技術研發，仍能幫助業者。科學園區的角色，隨著園區廠商的增加及範圍的擴大，將更

爲吃重。土地、水、電、人力的供應，在在都是政府可以幫助半導體業的地方。

㈥與國內、國外公司聯盟——無論在研究發展上，或在廠房設備上，半導體公司的投入都愈來愈龐大。即使最大的半導體公司也有與其他公司聯盟的必要。台灣半導體業在世界舞台上充其量是中型公司，更有結盟合作的需要。研發、生產、行銷都在可合作的範圍內。

四、台灣半導體業的前瞻

台灣具有充份的優良條件，世界半導體市場也呈現了一個良好的機會，筆者對於台灣半導體的發展深感樂觀。今年台灣半導體產額應達三十億美元，占世界產額二·五—三％。筆者認爲台灣六年後（公元二千年）的目標，應該是世界產額的五％，那時世界產額應在二千五百億美元左右，而台灣產額目標應在一百二十五億美元左右，亦即今年的四倍。如果現在有五個廠，六年後就要有二十個廠。這樣算起來，最近甚囂塵上的許多建廠計畫，即使都能如期執行，似乎還不能算多。當然，建廠只是達到目標的第一步，有了產能，還要有技術、產品、行

銷管道、良好的經營。台灣半導體業是否能度過重重的挑戰，就要看大家的努力了。

（本文摘自《工商時報》出版的《台灣經濟藍皮書——一九九五年台灣經濟與產業形勢預測與分析》一書。）

發展台灣科技業

張忠謀

前言

台灣科技業在最近十幾年有很快的發展。至今，科技產業已占全國製造業二五%，也是最大出口業。較諸二十年前，或與別的東南亞及其他正在開發中國家比較，我們可以驕傲。但必須認清的事實是：今日台灣科技產業仍只是技術生產工業。爲什麼我稱它爲「技術生產工業」？因爲大多數的科技業專長僅在生產，雖然這生產是技術密集的生產。我們的「科技業」缺乏創新性與突破性的科技開

發，也因爲如此，我們的技術雖在若干領域已非常接近尖端水準，但始終不能領先。

「技術生產工業」值得珍惜，也值得繼續努力發展。它已爲台灣帶來不少財富，在未來十幾年也會繼續提高我們的經濟水準。但是它的競爭障礙不夠高。未來十幾年中，不少國家或地區（包括大陸）也會走這條路，對我們產生競爭壓力。對台灣來說，這是一個要嚴肅思考的問題。台灣如果要具備充份的能力來迎接、甚至進一步擺脫這種競爭壓力，必須正視發展競爭障礙高的科技產業。競爭障礙最高的科技產業，是一個不斷創新、不斷站在科技尖端的產業。我們怎樣才能創造這樣的科技業？

過去的政策措施，例如設立科學園區、工研院、開發基金、稅捐優惠等，在促成今日的「技術生產業」過程中，已發揮播種、奠基的功能。但如果只是繼續過去的措施，最多只能增加「技術生產工業」的數量，並不能使我們衝到科技產業的尖端，也不足以讓台灣建立高競爭障礙的科技業。在自由經濟體制下，企業發展應該是每一企業的責任，但政府也有其必要角色。政府必須建立一個良好的

文化、物質環境，使科技業能在台灣蓬勃發展。以下是我對政府角色的看法。

一、基礎建設

土地、水、電、電訊、便利的交通、員工子女學校是最基本，也是最低限度的要求。新竹科學園區除了提供這些需要外，還提供了在當時被認爲優美的工作、居住環境，以及便利的單一窗戶服務。新竹科學園區是台灣科技業的大功臣。

現在時過十七年，科技業所需的基本條件不但沒有變，而且更嚴格。而台灣現在已富裕得多，對工作、居住環境的要求更高。新竹科學園區達到飽和後，政府開始規劃推動台南科學園區，對已經投入科技產業，或正準備涉足科技業者是一大福音。但園區基本建設的完成是首要之急，水電供應要做到對廠商無憂慮，高鐵可能帶來的震動以及電磁干擾也一定要解決。園區內更須建立周詳的設施。

二、放鬆公司上市規定，要求財務透明化。允許公司授與員工股票選購權

最近美國《商業週刊》報導，僅僅位在矽谷的科技公司已近一萬家。美國科技業的蓬勃，很大一部份原因歸功於這許多「野火燒不盡，春風吹又生」的小公司。它們造成了一個「百花齊放，萬家爭鳴」的競爭環境。創業者的最大誘因是致富機會，而致富的正常途徑是股票上市。美國法令對公司上市限制不嚴，但對公司營運、財務資料之及時公開，以及股市內線交易，卻有嚴謹的規範。法令目的是保障投資人及時得知公司資料的權利，且禁止公司內部人員利用投資大眾尚未知悉之資訊操作謀利。法令的目的不在對上市公司是否值得投資做判斷。

反觀台灣，上市限制嚴格，但投資人及時獲得上市公司正確資訊不易。以內線交易圖利少數知情人士而罔顧投資大眾權益的事件也時有所聞。有關公司上市，以及上市後的監督法令之建立及執行，都值得檢討。

員工股票選購權在美國是提升企業活力的重要工具。台灣證券法不允許此類選購權，許多科技公司就直接以股票發紅，雖達到激勵員工的目的，但有兩個

缺點：第一、股票發紅不能把股東和員工的利益連結在一起。第二、股票發紅一次全數發放，反而鼓勵跳槽。

三、尖端研發

尖端研發指世界水準的尖端研發。今日我們的科技水準，尚未達到世界最尖端，所以應用實施於生產的時機總是晚人一步。如果我們能領先開發尖端技術，並且持續領先，我們的競爭堡壘要比現在強得多。在未來十年，我們要在任何重要技術上領先的機會恐怕不大，所以我們應採取跳蛙策略，看準十年以後的尖端技術何在，現在就開始開發那種技術。

尖端研發與基礎研究不同。基礎研究的目標是增加人類知識，尖端研發則有商業目標。因此，尖端研發應該是企業的責任。但尖端研發所需的人才、經費資源極大，即使先進國家的企業界亦需要政府幫助。台灣科技產業與美、日比起來還很小，政府更應助一臂之力。何況政府目前的科技經費已很大，如能善用，對企業界進行尖端開發的幫助可以很大。

政府今日的科技經費分配，可以分三大部份。中央研究院從事基礎研究，經費應該繼續並酌量增加。國科會長久以來投資於小型計畫，應加強凝聚資源，開始推動有意義的大案子。其他部會（最大的是經濟部）大部份都在做先進國家已做過的東西，很少做尖端研發，更少有計畫地鎖定十年或十五年後的目標，做跳蛙性躍進。

我認爲政府科技經費中，除了中研院基礎研究部份外，只應該做兩件事：㈠技術面輔助中小型傳統企業，㈡有計畫、有規模的尖端突破。憑實而論，目前大部份政府研究機構（包括財團法人）的能力都不適合做這兩件事。要做，並不是經費問題（現在的經費已經不少），而是人才問題。如果我們能確定政府研發機構的目標，它們就要大量換血。許多現有人才應考慮轉入科技產業，同時研究機構要吸收能做尖端研發的精英。

四、教育改革

近十幾年來，台灣科技產業有很大的進步，但教育體系卻進步很少。也許有

人會說，教育改革是很需要時間的事。但我們應看看史丹福和柏克萊加州大學。四十年前，這兩個大學不能和麻省理工學院比，但今日，在許多領域，這兩所大學已與麻省理工學院並駕齊驅，且有後來居上之勢。這兩所大學的進步受矽谷發展之惠，也與矽谷發展有相輔相成的作用。但我們的清大、交大有沒有隨著新竹科學園區的發展而進步呢？我想答案是：即使有，也不多。

我們的教育制度產生了許多精英。台灣科技業之有今日，也大部份拜我們教育制度所產生的人才之賜。但是，如上所述，我們的科技業還只能定位在「技術生產業」上。要再進一步，成爲一個高障礙的產業，我們必須有許多富於創意、能繼續推進科技前線的人才。國內的教育體制，還不能產生足夠的這類人才。

五、內銷市場

美國（尤其矽谷）科技業的發達，一大原因是上下游的密切結合。以半導體業及個人電腦業爲例：從事半導體尖端研究與從事電腦尖端研究的人員有頻繁接

觸的機會，他們甚至是好朋友或好鄰居。電腦業需要什麼新的半導體產品，半導體業的研究人員立刻就知道，而且可隨時和需求者切磋討論；半導體業因本身技術進步而能做出以前未有的新產品，電腦業研究人員也立即知道並可設法應用。這樣上下游的結合，使得半導體業和個人電腦都能很快地推進各自的產業尖端科技。

台灣科技業缺乏廣大的內銷市場，所以我們的下游都在國外。台灣個人電腦業如要了解市場的需要，就必須去國外；再把這需要告訴國內半導體業，當然遲了一步。相反的，國內半導體業如有能力做出尖端產品，是去找與市場有密切接觸的國外電腦公司呢？還是去找與市場有隔閡的國內電腦業？結論當然是找國外電腦業。

沒有廣大腹地市場，也因此失去上下游的密切結合的機制，是科技業持續發展的大障礙。

六、生活品質

台灣科技業人員的收入，在十幾年前遠不及美國。今日大部份已達到美國相等人員水準，少數甚且超出美國水準。隨著收入的提高，大家對生活的要求也有改變。十幾年前，新竹園區綠樹成蔭的工作環境被認爲非常優美，爲難得之作，今天大部份人已只把它當作標準。十幾年前，新竹園區的員工宿舍被認爲豪華，現在大部份人卻覺得不夠水準。污染、噪音、塞車等等現象，十幾年前或不嚴重，或不受注意，但是今天造成嚴重不滿，區內、區外人人怨聲載道。

除了屬物質層面的生活品質外，還有文化方面的生活品質。例如治安、社會公義、廉潔政府、掃除黑金勢力威脅等等。也許以前這些問題沒有現在嚴重，也許以前較被忍受，但現在不但不滿此種現象的心態更形擴張，而且普遍認爲是嚴重侵蝕整體競爭力的毒素。

美國現在仍是吸引全世界人才的磁石。許多事業有成的華裔人才在彼扎根，也有赴美求學的台灣青年學成不歸。爲什麼美國仍是這樣的磁石？現在已不能怪

國內外不同待遇。主要原因是美國物質上和文化上的生活品質。

七、心靈改造

民族文化中有許多優點使我們的科技業有今天的成就。這些優點包括對教育的重視、勤勞、敬業等。但近年來這些優點似乎正在削弱。相反的，許多敗壞風氣卻已形成：貪婪、短視、投機、走捷徑等等。這些壞風氣更有劣幣驅逐良幣的作用。如若不改，台灣社會將成爲好人裹足不前的社會，這絕不是持續發展高科技應具備的環境。我們需要大量有使命感、有創新能力的精英在台灣安居樂業。政府應正視病根所在，努力、儘快提供一個能夠吸引、留住這種人才的環境。

結語

對一個已站在先進國家邊緣的國家，如台灣而言，科技產業將是邁入先進國家之林的最後一步，恐怕也是最難的一步。科技產業最重要的是人才；我們如何培養、吸引、保留這些人才，讓他們在此安居樂業，儘量發揮？改善這些關於人

才的條件，也就是強化國家的基本環境。

局部措施如科學園區、租稅優惠、研發增強等等，可以建立低競爭障礙的技術生產業，但不能建立高障礙的尖端科技業。近來「科技島」成爲一個響亮的口號，但如果沒有基本的改革，科技島是做不成的。在我們的科技產業還沒有達到足以遍及全島的規模之前，來自別的國家、地區的激烈競爭已將使我們成長轉緩！

台灣具有成爲科技島的基本體制：民主和自由經濟。民族文化也具備塑造科技島出現的條件。但在現在體制及傳統文化下，還需要許多改革、進步。這些改革儘管是最難的一步，卻是台灣能否在二十一世紀成爲先進國家的必要之途。

（此文係於一九九七年九月應行政院長蕭萬長先生之邀而寫，未曾對外公開發表。）

張忠謀大事年表

一九三一年
●出生於浙江寧波。

一九三二年
●隨父母遷南京。

一九三六年
●在南京入小學。

一九三七年
●隨父母遷廣州。
●中日戰爭開始，廣州遭日機轟炸，隨父母遷香港。

一九四一年
●珍珠港事變發生。日軍占領香港。

一九四二年
●自小學畢業。

一九四三年
●隨父母長途跋涉至重慶。

一九四五年 ●入重慶沙坪壩南開中學。
●抗戰勝利。隨父母遷上海。

一九四八年 ●畢業於上海南洋模範中學。
●同年底共軍進迫上海，隨父母遷香港。
●夏克雷、布律登及巴丁在美國貝爾實驗室發明電晶體。

一九四九年 ●赴美國哈佛大學入大學一年級。

一九五〇年 ●轉學麻省理工學院二年級。

一九五二年 ●獲麻省理工學院機械系學士學位。
●美國貝爾實驗室授權廠商生產電晶體。半導體業在美國誕生。

一九五三年 ●獲麻省理工學院機械系碩士學位。

一九五五年 ●進入半導體業，就職希凡尼亞公司半導體部。

一九五八年 ●入德州儀器公司。
●基比（德儀）及諾艾斯（快捷公司）發明積體電路。

一九六一年 ●入史丹福大學攻讀博士。

一九六四年 ●獲史丹福大學電機系博士學位。返德州儀器公司服務。同年升任爲鍺電晶體部總經理。

一九六五年 ●任德儀公司矽電晶體部總經理。

一九六六年 ●任德儀公司積體電路部總經理。

一九六七年 ●升任德儀公司副總裁，同時仍兼任積體電路部總經理。

一九七二年 ●升任德儀公司集團副總裁，同時爲半導體集團總經理。

一九七八年 ●任德儀公司消費者產品集團總經理。

一九八二年 ●孫運璿院長、李國鼎政委邀聘回國服務，未果。

一九八三年 ●辭德儀公司。

一九八四年 ●任通用器材公司總裁。

一九八五年 ●辭通用器材公司總裁職。

●應俞國華院長、李國鼎政委、徐賢修董事長（工業技術研究院）邀請，來台灣任工業技術研究院院長。

一九八六年 ●創辦台灣積體電路製造公司（台積電），任董事長。

一九八八年
- 辭工研院院長職，任董事長。

一九八九年
- 和信企業集團與其他投資人合資購併美商慧智科技公司，應聘爲該公司董事長。

一九九四年
- 辭工研院董事長職。
- 台積電在台灣證券交易所上市。
- 創辦世界先進積體電路公司，任董事長。

一九九五年
- 台積電營收超越十億美元。

一九九七年
- 兼任台積電總經理。
- 台積電獲《天下》雜誌標竿企業獎。
- 台積電在紐約證券交易所上市。

一九九八年
（至三月）
- 美國《商業週刊》（*Business Week*）遴選爲全球最佳經理人之一。
- 美國Bank of America–Robertson Stephens遴選爲半導體業五十年歷史最有貢獻人之一。
- 自傳上册出版。

天下文化〈財經企管系列之一〉

書號	書　　名	作者	譯者	定價	備註
CB053	歷練—張國安自傳	張國安		200	
CB058	廣告大師奧格威—未公諸於世的選集	奧格威	莊淑芬	200	
CB061	服務業的經營策略	海斯凱特	王克捷、李慧菊	200	
CB065	說來自在—上台演講不緊張	薩娜芙	金玉梅	160	
CB077	2000年大趨勢	奈思比、奧伯汀	尹萍	250	
CB083	改造遊戲規則—21世紀銷售新法	魏爾生	孫紹成	220	
CB085	平凡的勇者	趙耀東		200	
CB086	哈佛仍然學不到的經營策略	麥考梅克	劉毓玲	220	
CB087	未來贏家—掌握2000年十大經營趨勢	塔克爾	賓靜蓀	220	
CB089	世紀之爭—競逐全球新霸主	梭羅	顧淑馨	250	
CB091	台灣突破—兩岸經貿追蹤	高希均　等		320	
CB092	超國界奇兵	蓋伊　等	李淑嫻	200	
CB093	無限影響力—公關的藝術	狄倫施耐德	賈士蘅	250	
CB095	吳舜文傳	溫曼英		320	
CB096	經營顧客心	懷特利	董更生	240	
CB097	溫柔女強人	羅絲曼	余佩珊	220	
CB098	追求卓越（修訂版）	畢德士、華特曼	天下編譯	220	
CB099	跳躍的靈魂—「美體小舖」安妮塔傳奇	安妮塔	黃孝如	280	
CB100	創世紀	保羅・甘迺迪	顧淑馨	320	
CB101	企業大轉型—資訊科技時代的競爭優勢	凱恩	徐炳勳	250	
CB102	大潮流—目擊全球現場	萊特　等	李宛蓉	280	
CB103	反敗為勝—汽車巨人艾科卡自傳	艾科卡	賈堅一、張國蓉	250	
CB104	經典管理—世界名著中的管理啟示	克萊蒙　等	張定綺	240	
CB105	小故事，妙管理	阿姆斯壯	黃炎媛	220	
CB106	專業風采	畢克絲樂	黃治蘋	240	
CB109	統合管理革命	格蕾安	陳秋美	260	
CB111	第五項修練—學習型組織的藝術與實務	彼得・聖吉	郭進隆	500	
CB112	優勢行銷	拉瑟　等	周旭華	250	
CB113	實現創業的夢想	霍肯	吳程遠、齊若蘭	220	
CB114	溝通時代話領導	狄倫施耐德	余佩珊	280	
CB115	全球弔詭—小而強的時代	奈思比	顧淑馨	320	
CB116	共創企業淨土	徐木蘭		250	
CB117	台商經驗—投資大陸的現場報導	高希均　等		320	
CB119	時間萬歲—解讀忙碌症候群	伯恩斯	莊勝雄	280	
CB120	飛狐行動—一個團隊致勝的故事	巴特曼	施惠薰	280	
CB121	團隊出擊	哈琳頓－麥金	齊若蘭	260	
CB122	綠色管理手冊	沙德葛洛夫	宋偉航	360	
CB123	覺醒的年代—解讀弔詭新未來	韓第	周旭華	300	
CB124	第五項修練II實踐篇（上）—思考、演練與超越	彼得・聖吉	齊若蘭	460	
CB125	第五項修練II實踐篇（下）—共創學習新經驗	彼得・聖吉	齊若蘭	460	
CB126	我看英代爾—華裔副總裁的現身說法	虞有澄　等		360	
CB127	個人公關	蘿安	李淑嫻	240	
CB128	公關高手—經營人際關係的藝術	蘿安	李淑嫻	240	
CB129	不流淚的品管	克勞斯比	陳怡芬	280	
CB130	電腦王國R.O.C.—Republic of Computers的傳奇	黃欽勇		280	
CB132	創意成真—十四種成功商品的故事	拿雅克、凱林漢	譚家瑜	360	

天下文化〈財經企管系列之二〉

書號	書名	作者	譯者	定價	備註
CB133	亞洲大趨勢	約翰·奈思比	林蔭庭	340	
CB134	企業推手	戴維斯、包特肯	周旭華	250	
CB135	策略遊戲	希克曼	楊美齡	340	
CB136	行銷之神—佳能怪傑瀧川精一的故事	瀧川精一、卡拉爾	趙永芬	200	
CB137	行銷172誡	克藍希、舒爾曼	周怜利	380	
CB138	超越管理迷思—重新探索管理真諦	艾克斯　等	方美智	340	
CB139	再造宏碁	施振榮、林文玲		360	
CB140	漫步華爾街	墨基爾	楊美齡	460	
CB141	異端者的時代	大前研一	劉天祥	220	
CB142	時間陷阱	麥肯思	譚家瑜	320	
CB143	目標	高德拉特、科克斯	齊若蘭	460	
CB144	標竿學習—向企業典範借鏡	史平多利尼	呂錦珍	320	
CB145	國家競爭優勢（上）	波特	李明軒、邱如美	500	
CB146	國家競爭優勢（下）	波特	李明軒、邱如美	500	
CB147	競爭力手冊	高希均、石滋宜		160	
CB148	動力東元—馬達轉出無限生機	東元科技文教基金會		280	
CB149	轉虧為盈—國家半導體成功轉型經驗	歐勉國、賽蒙	呂錦珍	380	
CB150	談笑用兵—洞悉商場策略	麥凱	鄭懷超、曾陽晴	320	
CB151	攻心為上—活用的商場智慧	麥凱	曾陽晴	250	
CB152	麥當勞—探索金拱門的奇蹟	洛夫	韓定國	320	
CB153	跨世紀資訊商戰	黃欽勇　等		260	
CB154	組織遊戲	希克曼	楊美齡	340	
CB155	戴明的管理方法	瑪麗·華頓	周旭華	350	
CB156	戴明的新經濟觀	戴明	戴久永	250	
CB157	轉危為安—戴明管理十四要點的理念與實踐	戴明	鍾漢清	500	
CB158	哈佛學不到的經營策略	麥考梅克	任中原	280	
CB159	變動的年代—從不確定中創造新願景	韓第	周旭華	250	
CB160	雙贏策略—苗豐強策略聯盟的故事	苗豐強、齊若蘭		300	
CB161	股市陷阱88—掌握投資心理因素	巴瑞克	陳延元	280	
CB162	絕不是靠運氣—創造事業與人生的雙贏	高德拉特	周怜利	360	
CB163	抓住員工的心—建立留得住人才的公司	墨林	周怜利	220	
CB164	小公司的經營妙招—301個好點子	布洛考　編	周怜利	320	
CB165	管理Open-Book—開卷式管理的威力	薛斯特　等	黃進發	340	
CB166	管理浪潮下的迷思	謝佩珞	楊美齡	300	
CB167	內部行銷	蕭富峰		280	
CB168	破繭而出—競逐未來的經營智慧	邱義城		300	
CB169	贏得顧客心	懷特利、哈珊	譚家瑜	300	
CB170	競爭策略	波特	周旭華	500	
CB171	勇於創新—組織的改造與重生	塔辛曼、奧賴利	周旭華	280	
CB172	張忠謀自傳（上冊）1931-1964	張忠謀		260	
CB173	7個天才團隊的故事	班尼斯、畢德蔓	張慧倩	260	
CB174	諾貝爾之路—十三位經濟獎得主的故事	伯烈特、史賓斯	黃進發	360	
CB175	學習革命—石滋宜觀點	石滋宜		240	
CB176	電子精英—34項致勝策略	詹姆士	楊美齡	260	
CB177	企業成功轉型8 Steps	科特	邱如美	250	
CB178	富比士二百年英雄人物榜	葛洛斯　等	楊美齡	380	

天下文化〈心理勵志系列之一〉

書號	書　名	作者	譯者	定價	備註
BP001Y	樂在工作	魏特利、薇特	尹萍	250	
BP004X	樂在溝通—做個會說話的上班族	白克	顧淑馨	250	
BP006X	人生，另一種解答	葆森　等	趙瑜瑞	250	
BP008	長大的感覺，真好	帕翠生、桂特兒	尹萍	150	
BP009	可以勇敢，也可以溫柔	史克蘿	何亞威	220	
BP010X	生涯挑戰101—做工作的主人	迪梅爾　等	李淑嫻	250	
BP011X	腦力激進—十二週成長計畫	莎凡、佛莉契	李芸玫	250	
BP013	一躍而過	麥考梅克	顧淑馨	220	
BP014	愛與被愛	霍克	劉毓玲	200	
BP016	資訊創意家	川勝久	呂美女	200	
BP017	自助保健	希爾絲	邱秀莉	200	
BP020X	生涯定位	卡維　等	黃孝如	250	
BP021X	21世紀工作觀	麥考比	李瑞豐	250	
BP023	樂在談判	貝瑟曼、尼爾	賓靜蓀	220	
BP024	看，錢在說話	亞伯朗斯基	盧惠芬	280	
BP025	魅力，其實很簡單	瑞吉歐	蕭德蘭	220	
BP026X	快樂，從心開始	契克森米哈賴	張定綺	300	
BP027	志在奪標	魏特利	邱秀莉	220	
BP028	開拓創意心	辛妮塔	莊勝雄	250	
BP029X	有聲有色做溝通	華頓	譚家瑜	300	
BP030	破解工作苦	史崔瑟、西奈	蕭德蘭	220	
BP031	激發決策腦	道森	盧惠芬	250	
BP032	其實你真的聰明	艾波思坦　等	蕭德蘭	250	
BP033X	扣準時機的節奏	魏特利	朱偉雄	280	
BP034X	夢想，改造一生	布朗	陳秀娟	280	
BP035	全面成功	金克拉	陳秀娟	300	
BP036	駕馭變局十二法則	歐力森	李宛蓉	280	
BP037	心靈地圖（修訂版）	派克	張定綺	250	
BP038	與心靈對話	派克	張定綺	280	
BP039	熱情過活	歐爾	黃治蘋	300	
BP040	寂寞的，不只是你	古屋和雄	唐素燕	240	
BP041	親愛的，為什麼我不懂你	葛瑞	蕭德蘭	300	
BP042	相愛到白頭	葛瑞	黃孝如	320	
BP043	頑石也點頭	傑立森	趙永芬	250	
BP044	人生四季之美	日野原重明	高淑玲	200	
BP045	活在當下	安吉麗思	黎雅麗	300	
BP046	造就自己	莫里斯	周旭華	300	
BP047	阻力最小之路	弗利慈	徐炳勳	320	
BP048	辦公室男女對話	坦南	黃嘉琳	320	
BP049	錯把太太當帽子的人	薩克斯	孫秀惠	320	
BP050	火星上的人類學家	薩克斯	趙永芬	340	
BP051	開啟希望之門	派恩	蕭富元	200	
BP052	生死之歌	雷凡	汪芸、于而彥	320	
BP053	誰是老闆—如何做個高效能的主管	波奇艾勒第	黎拔佳	240	
BP054	回歸真愛	史萊辛爾	林蔭庭	260	
BP055	聽眼淚說話	寇特勒	莊安祺	240	

天下文化〈心理勵志系列之二〉

書號	書　　名	作者	譯者	定價	備註
BP056	抓住心靈時刻	赫特夏芬	鄭清榮	300	
BP057	365天領導心法	盧斯	汪芸、柯清心	320	
BP058	生命的領航	鮑曼、迪爾	孫秀惠	200	
BP059	X世代的價值觀	塔爾根	李根芳	250	
BP060	挑戰極限	麥克・強生	楊淑智	240	
BP061	新中年主張	希伊	蕭德蘭	420	
BP062	敢說真話	瑞安　等	陳秀娟	280	
BP063	另類家庭	埃亨、貝利	鄭清榮、譚悠文	320	
BP064	快樂自己求	歐爾	李月華	260	
BP065	自然的指印	紐鮑爾　等	趙永芬	250	
BP066	婚姻，可以很美滿	沃勒斯坦　等	張慧倩	320	
BP067	簡單活出自己	海因里希斯　等	譚家瑜	280	
BP068	靈魂符碼	希爾曼	薛絢	280	
BP069	外遇的男女心理	史普林　等	高蘭馨、柯清心	340	
BP070	嬰兒的感官世界	莫勒　等	蕭德蘭	340	
BP071	與成功有約	柯維	顧淑馨	280	
BP072	與領導有約	柯維	徐炳勳	320	
BP073	與幸福有約	柯維	汪芸	450	
BP074	旅行，重新打造自己	寇特勒	黎雅麗	280	
BP075	生命的心流	奇克森特米海伊	陳秀娟	220	
BP076	男人，別傻了！	史萊辛爾	李月華	300	
BP077	我家小孩高EQ	夏皮羅	薛美珍、譚悠文	300	
BP078	ABOUT愛情學問	彭懷真		250	

天下文化〈社會人文系列之一〉

書號	書　名	作者	譯者	定價	備註
GB001	我們正在寫歷史—方勵之自選集	方勵之		200	
GB009	蕭乾與文潔若（上、下冊）	文潔若		400	
GB013	尋找台灣生命力	小野		200	
GB014	風雨江山—許倬雲的天下事	許倬雲		220	
GB027	大格局	高希均		220	
GB028	智慧新憲章—著作權與現代生活	理律法律事務所		250	
GB030	美麗共生—使用地球者付費	凱恩格斯	徐炳勳	220	
GB033	尋找心中那把尺	熊秉元		220	
GB037	時代七十年	姜敬寬		250	
GB040	無愧—郝柏村的政治之旅	王力行		360	
GB043	活用消費者保護法	理律法律事務所		280	
GB044	無冕王的神話世界	羅文輝		220	
GB046	最後的貓熊	夏勒	張定綺	320	
GB048	歡喜人間（上）	星雲大師		250	
GB049	歡喜人間（下）	星雲大師		250	
GB050	報人王惕吾—聯合報的故事	王麗美		360	
GB051	燈塔的故事	熊秉元		220	
GB053	電腦叛客	海芙納、馬可夫	尚青松	280	
GB054	觀念播種—高希均文集Ⅰ	高希均		250	
GB055	優勢台灣—高希均文集Ⅱ	高希均		250	
GB056	失控—解讀新世紀亂象	布里辛斯基	陳秀娟	250	
GB059	教育改革的省思	郭為藩		280	
GB060	石油一生—李達海回憶錄	鄧潔華整理		360	
GB061	1895日軍侵台圖紀—台灣民主國抗敵實錄	徐宗懋策劃		360	
GB062	務實的台灣人	徐宗懋		300	
GB063	點滴在心頭—42位身邊人談二位蔣總統	朱秀娟訪談		320	
GB064	大家都站著	熊秉元		250	
GB065	惜緣	王端正		220	
GB066	傳燈—星雲大師傳	符芝瑛		360	
GB067	出走紐西蘭——個母親的教育實驗	尹萍		240	
GB068	誠信—林洋港回憶錄	官麗嘉		360	
GB069	讓好人出頭—王建煊的從政理念	王建煊		320	
GB070	頂尖人物成功之路	李慧菊　等		240	
GB071	大是大非—梁肅戎回憶錄	梁肅戎		360	
GB072	永遠的春天—陳香梅自傳	陳香梅		360	
GB073	郝總長日記中的經國先生晚年	郝柏村		360	
GB074	我心永平—連戰從政之路	林黛嫚		300	
GB075	大愛—證嚴法師與慈濟世界	丘秀芷		360	
GB076	捍衛網路	克里夫·斯多	白方平	420	
GB077	探險天地間—劉其偉傳奇	楊孟瑜		360	
GB078	期待一個城市	黃碧端		280	
GB079	狗兒的祕密生活	湯瑪士	符芝瑛	280	
GB080	千山獨行—蔣緯國的人生之旅	汪士淳		360	
GB081	前進非洲	派克	陳秀娟	360	
GB082	響自心靈的高音—卡列拉斯自傳	卡列拉斯	張劉芬	320	
GB083	小女遊學英倫—教育體制外的一扇窗	陳淑玲		220	

天下文化〈社會人文系列之二〉

書號	書　　名	作者	譯者	定價	備註
GB084	鬧中取靜	王力行		240	
GB085	誰在乎媒體（原名：第四勢力）	張作錦		250	
GB086	中國飛彈之父—錢學森之謎	張純如	張定綺、許耀雲	360	
GB087	全是贏家的學校—借鏡美國教改藍圖	威爾遜、戴維斯	蕭昭君	320	
GB088	一百億國票風暴	刁明芳		320	
GB089	孤獨與追尋—地質學大師許靖華的成長故事	許靖華	唐清蓉	380	
GB090	薪火—佛光山承先啟後的故事	符芝瑛		300	
GB091	寧靜中的風雨—蔣孝勇的真實聲音	王力行、汪士淳		360	
GB092	試為媒體說短長	張作錦		250	
GB093	日本情結—從蔣介石到李登輝	徐宗懋		260	
GB094	田長霖的柏克萊之路—華裔校長的輝煌歲月	劉曉莉		300	
GB095	堤河邑冒險學校—紐西蘭的山野教育	尹萍、韓敦瑋		240	
GB096	刻畫人間—藝術大師朱銘傳	楊孟瑜		360	
GB097	宇宙遊子—柯錫杰：台灣現代攝影第一人	余宜芳		360	
GB098	被遺忘的大屠殺—1937南京浩劫	張純如	蕭富元	360	
GB099	20世紀中國人的山河歲月	中華歷史工作室		2500	
GB100	追隨半世紀—李煥與經國先生	林蔭庭		360	
GB101	回首向來蕭瑟處	孫震		260	
GB102	新台灣人之路—建構一個乾乾淨淨的社會	高希均		300	
GB103	民進黨轉型之痛	郭正亮		340	
GB104	從森林小學到椰林大道——人本教育的思考與實踐	史英		300	
GB105	許信良的政治世界	夏珍		380	
GB106	交鋒——當代中國三次思想解放實錄	馬立誠、凌志軍		300	
GB107	飆舞—林懷民與雲門傳奇	楊孟瑜		360	
GB108	讓好人出頭—王建煊的從政理念	王建煊		320	（增訂版）
GB109	從憂患中走來—梅可望回憶錄	梅可望		340	

天下文化〈科學人文系列之一〉

書號	書　　名	作者	譯者	定價	備註
CS001	混沌─不測風雲的背後	葛雷易克	林和	300	
CS002	居禮夫人─寂寞而驕傲的一生	紀荷	尹萍	280	
CS003	全方位的無限─生命為什麼如此複雜	戴森	李篤中	280	
CS004	你管別人怎麼想─科學奇才費曼博士	費曼	尹萍、王碧	250	
CS005	理性之夢─這世界屬於會作夢的人	裴傑斯	牟中原、梁仲賢	320	
CS006	氫彈之父─沙卡洛夫回憶錄(1921-1967)	沙卡洛夫	牟中原、鄭懷超	300	
CS007	人權鬥士─沙卡洛夫回憶錄(1968-1989)	沙卡洛夫	牟中原、鄭懷超	300	
CS008	大滅絕─尋找一個消失的年代	許靖華	任克	280	
CS009	柏拉圖的天空─普林斯頓高研院大師群像	瑞吉斯	邱顯正	300	
CS010	古海荒漠─地中海默默守著的大祕密	許靖華	朱文煥	220	
CS011	宇宙波瀾─科技與人類前途的自省	戴森	邱顯正	300	
CS012	別鬧了，費曼先生─科學頑童的故事	費曼	吳程遠	300	
CS013	喜悅時光─從宇宙演化看人性真諦	席夫	葉李華	250	
CS014	恐龍再現─誰讓恐龍「復活」了？	雷森	陳燕珍	280	
CS015	雁鵝與勞倫茲─動物行為啟示錄	勞倫茲	楊玉齡	280	
CS016	蓋婭，大地之母─地球是活的！	洛夫洛克	金恆鑣	240	
CS017	基因聖戰─擺脫遺傳的宿命	畢修普、瓦德霍茲	楊玉齡	400	
CS018	複雜─走在秩序與混沌邊緣	沃德羅普	齊若蘭	400	
CS019	玉米田裡的先知─異類遺傳學家麥克林托克	凱勒	唐嘉慧	300	
CS020	演化之舞─細菌主演的地球生命史	馬古利斯、薩根	王文祥	320	
CS021	自私的基因─我們都是基因的俘虜？	道金斯	趙淑妙	360	
CS022	達爾文大震撼─聽聽古爾德怎麼說	古爾德	程樹德	360	
CS023	台灣蛇毒傳奇─台灣科學史上輝煌的一頁	楊玉齡、羅時成		360	
CS024	物理之美─費曼與你談物理	費曼	陳芊蓉、吳程遠	250	
CS025	生而為人─從演化舞台中走來	瑪麗與約翰．葛瑞賓	陳瑞清	380	
CS026	達爾文與小獵犬號─「物種原始」的發現之旅	穆爾黑德	楊玉齡	300	
CS027	吃角子老虎與破試管─一個科學家的理性與感性	盧瑞亞	房樹生	300	
CS028	所羅門王的指環─與蟲魚鳥獸親密對話	勞倫茲	游復熙、季光容	200	
CS029	宇宙的詩篇─解讀天地間的幾何法則	奧瑟曼	葉李華	220	
CS030	驚異的假說─克里克的「心」、「視」界	克里克	劉明勳	380	
CS031	大自然的獵人─博物學家威爾森	威爾森	楊玉齡	380	
CS032	繽紛的生命─造訪基因庫的燦爛國度	威爾森	金恆鑣	400	
CS033	螞蟻與孔雀（上）─耀眼羽毛背後的性擇之爭	柯若寧	楊玉齡	320	
CS034	螞蟻與孔雀（下）─捨己為群的利他之謎	柯若寧	楊玉齡	300	
CS035	DNA的語言─給下一輪太平盛世的基因備忘錄	波拉克	楊玉齡	300	
CS036	貓熊的大拇指─聽聽古爾德又怎麼說	古爾德	程樹德	380	
CS037	天才的學徒─建構叱吒風雲的科學王朝	坎尼葛爾	潘震澤、朱業修	320	
CS038	愛因斯坦（上）─千山獨行，擘創宇宙大業	布萊恩	鄧德祥	320	
CS039	愛因斯坦（下）─沾惹塵緣，萬丈光芒也彎折	布萊恩	陳瑞清	380	
CS040	迴盪化學兩極間─尋找美麗而感性的中間地帶	霍夫曼	呂慧娟	300	
CS041	瘟疫與人─傳染病對人類歷史的衝擊	麥克尼爾	楊玉齡	320	
CS042	線索─一位本土科學家的心路歷程	陳文盛		280	
CS043	第三種文化─跨越科學與人文的鴻溝	布羅克曼	唐勤、怡鋆	420	
CS044	追獵癌症─癌症病因研究之路	溫伯格	許英昌、陳雅茜	300	

國家圖書館出版品預行編目資料

張忠謀自傳／張忠謀著.--第一版．--臺北市：
天下文化出版；〔台北縣三重市〕：黎銘總經
銷,1998［民87］
面；　　公分.--(財經企管；172)
ISBN　957-621-449-1（上冊；平裝）
1. 張忠謀-傳記

882.886　　　　　　　　　　87002066

訂購辦法：

- 請向全省各大書局選購。
- 利用郵政劃撥、現金袋、匯票或即期支票訂購，可享九折優惠。
  劃撥帳號：1326703－6　戶名／支票抬頭：天下遠見出版股份有限公司
  地址：台北市松江路93巷1號2樓
- 利用信用卡／簽帳卡訂購者，請與本公司讀者服務部聯絡。團體訂購，另有優惠。
  讀者服務專線：（02）2506－4618　傳真：（02）2507－6735
- 訂購總額在新台幣600元以下，請加付掛號郵資30元。
- 購滿40冊以上，台北市區有專人送書收款。

國外訂購價格（含郵費）

航空／歐、美、日等地區		定價×1.8
	香港、澳門	定價×1.6
水陸／歐、美、日等地區		定價×1.6
	香港、澳門	定價×1.4

- 購買總金額在新台幣1,000元（含1,000元）以下者，請加付手續費新台幣200元。
- 請以美金支票付款，支票抬頭請開Commonwealth Publishing Co., Ltd.。
- NT$29.00＝US$1.00。（若與實際買入匯率相差5％以上，將於訂購時告知實際匯率，並以實際匯率為準。）

張忠謀自傳

（上冊）1931—1964

作　者／張忠謀
系列主編／黃孝如
責任編輯／杜晴惠
封面攝影／黃明偉
封面設計／李錦鳳
美術編輯／李錦鳳
社　長／高希均
發行人／王力行
研發主編／吳程遠
法律顧問／理律法律事務所陳長文律師、太穎國際法律事務所謝穎青律師
出版者／天下遠見出版股份有限公司
社　址／台北市104松江路93巷1號2樓
電　話／（02）2506－4618
直接郵撥帳號／1326703－6號　天下遠見出版股份有限公司
電腦排版／極翔企業有限公司
製版廠／利全美術製版股份有限公司
印刷廠／崇寶彩藝印刷股份有限公司
裝訂廠／台興裝訂廠
登記證／局版台業字第2517號
總經銷／黎銘圖書有限公司　電話／（02）2981-8089　網址／www.liming.com.tw
著作完成日期／1998年1月
出版日期／1998年3月30日第一版
1998年10月30日第一版第21次印行（103,001~106,000本）
定價／260元

Published by Commonwealth Publishing Co., Ltd.

Printed in Taiwan.

ISBN：957-621-449-1
書號：CB172

Commonwealth Publishing

天下·文化
Commonwealth Publishing Co., Ltd. 出版公司

Commonwealth Publishing